Chère lectrice,

Qui n'a jamais pris [...]
nouvelle année ? Nos héroïnes, ce mois-ci, se p[...]
jeu : Samantha et Kathy ont ainsi décidé de ne pas retomber
amoureuses de ceux qui ont fait chavirer leur cœur des
années plus tôt, qu'ils soient cheikhs ou simples chirurgiens
(Blanche n° 1203).

Quant à la talentueuse Joni, elle refuse d'entamer une
Liaison secrète à l'hôpital (Blanche n° 1202), malgré
son attirance pour son nouveau collègue, le mystérieux
Aaron…

Mais rompre de telles résolutions ne serait-il pas la
meilleure chose qu'il puisse leur arriver ?

Bonne lecture, et rendez-vous le mois prochain !

La responsable de collection

Un nouveau bonheur pour Samantha

*

Liaison secrète à l'hôpital

AMY RUTTAN

Un nouveau bonheur
pour Samantha

COLLECTION *Blanche*

H HARLEQUIN

Collection : Blanche

Cet ouvrage a été publié en langue anglaise
sous le titre :
DARE SHE DATE AGAIN ?

Traduction française de
EVELYNE CHARLES

HARLEQUIN®
est une marque déposée par le Groupe Harlequin

Blanche® est une marque déposée par Harlequin

HARLEQUIN
83-85, boulevard Vincent-Auriol, 75646 PARIS CEDEX 13.
Service Lectrices — Tél. : 01 45 82 47 47

www.harlequin.fr

ISBN 978-2-2803-2854-8 — ISSN 0223-5056

1.

Plus qu'un stage de formation…

Samantha Doxtator jeta un coup d'œil au tableau de service. Dès qu'elle aurait formé son dernier stagiaire au métier d'infirmier spécialisé en soins avancés, elle pourrait abandonner son poste d'instructrice à Air Ambulance et s'installer à Thunder Bay pour piloter elle-même un avion.

Cela faisait longtemps qu'elle rêvait de vivre à Thunder Bay, où elle avait acheté une maison. Son fils aurait enfin la vie à laquelle il avait droit et elle sauverait des vies aux commandes de son appareil.

La plus grande partie de sa famille se trouvait déjà là-bas. Dans le nord, Adam grandirait entouré de ses cousins. Il jouerait dans un jardin, pas sur la terrasse d'un petit appartement situé au rez-de-chaussée d'un immeuble.

Le père d'Adam n'était plus là pour veiller sur lui, mais leur petit garçon aurait une enfance heureuse. Quatorze ans auparavant, quand ils avaient commencé à exercer leur profession d'infirmiers-ambulanciers, son défunt mari et elle rêvaient déjà de partir pour Thunder Bay.

Ensuite, elle avait attendu Adam et puis… Cameron était mort. Bien qu'il soit décédé depuis longtemps, il lui manquait toujours autant. D'ordinaire, elle adorait l'accueillir dans ses pensées, mais pas aujourd'hui.

Aujourd'hui, elle avait un travail à accomplir.

Elle rejoignit Lizzie Bathurst, chargée de la répartition des stagiaires.

— Salut, Lizzie.

Cette dernière ne prit pas le temps de répondre — c'était tout Lizzie, ça.

— Alors, continua gaiement Samantha, dis-moi qui sera mon dernier protégé. J'imagine que tu m'as attribué le plus coriace, pour ne pas changer ?

Lizzie lui sourit.

— Tu es la meilleure, Sam, tu es capable de mater les fortes têtes.

Elle lui tendit un dossier que Samantha ouvrit avec un peu d'inquiétude.

— George Atavik, lut-elle à voix haute. Eh bien ! Il vient de loin, celui-là ! Ecoute ça ! Il est précisé que ce type est pilote et qu'il a même beaucoup d'heures de vol à son actif ! Pourquoi diable veut-il travailler au sol ?

— Je te l'ai dit… Une forte tête. Son CV est impressionnant et j'espère bien que tu sauras le convaincre de voler de nouveau pour nous. Je déteste voir quelqu'un gaspiller ses compétences.

Samantha se mordit la lèvre inférieure.

Bon sang ! Son dernier stagiaire allait-il lui causer du souci ? Elle n'aurait pas dû s'en étonner, pourtant : on ne lui confiait jamais les cas « faciles » — elle allait finir par se demander si elle n'était pas visée par une sorte de conspiration.

Comme si elle lisait dans son esprit, Lizzie répéta :

— Tu es la meilleure, Samantha !

— Dis Lizzie, tu ne serais pas juste en train de me passer de la pommade, par hasard ? Tu n'es jamais aussi gentille, d'habitude. Bon… Ce George Atavik a peut-être simplement envie de diversifier ses activités. Il n'y a pas beaucoup d'ambulances, dans le Nunavut.

— En fait, on aimerait bien l'engager, mais en tant que pilote. Maintenant, s'il refuse, on le recrutera quand même dès qu'il aura terminé son stage : Thunder Bay manque d'ambulanciers et on ne va pas décourager les bonnes volontés, n'est-ce pas ? A ce propos, tu travailles en solo, cette fois.

8

— Ah bon ? D'habitude, on travaille par groupes de trois : deux formateurs et un stagiaire.

— Oui, mais George Atavik a déjà de l'expérience et il n'aura pas besoin d'être surveillé d'aussi près.

— Très bien… Je ferai de mon mieux.

— Vas-y, maintenant. A toi de faire sa connaissance. Les nouvelles recrues vont rencontrer leurs instructeurs d'une minute à l'autre.

Glissant le dossier sous son bras, Samantha gagna la salle ou une dizaine de stagiaires attendaient.

L'un d'entre eux se tenait légèrement à l'écart des autres et lui tournait le dos.

— Atavik, George ! lança-t-elle.

L'homme se retourna — et Samantha retint son souffle. Sa peau était dorée, et lorsqu'il lui sourit, deux fossettes se creusèrent dans ses joues. Il avait de magnifiques dents blanches, des yeux sombres, un sourire espiègle et des cheveux noirs en bataille. Il était grand, mince et musclé. La tenue des infirmiers, composée d'une chemise blanche et d'un pantalon bleu, lui allait bien.

Cela faisait longtemps que Samantha n'avait pas apprécié la vue d'un aussi beau spécimen masculin. *Vraiment* longtemps ! Il fallait dire que sa situation de mère célibataire ne lui donnait guère l'occasion d'en rencontrer…

— Je suis George Atavik, dit-il en s'approchant d'elle.

Ils échangèrent une poignée de main.

— Je m'appelle Samantha… Samantha Doxtator.

— Ravi de vous rencontrer.

Il semblait poli et réservé. Ce serait peut-être moins difficile qu'elle le craignait… A condition qu'elle cesse de le fixer bêtement et qu'elle dise quelque chose !

Elle s'éclaircit la voix.

— Pardonnez-moi… Je suis un peu distraite.

— Je suppose que vous faites partie des formateurs chargés de ma supervision ?

— Oui, je suis votre instructrice… Votre unique instructrice, en fait.

Il regarda autour de lui.

— Pourquoi les autres en ont-ils deux ?

— Vous avez davantage d'expérience, expliqua Samantha en ouvrant le dossier. Nous allons donc travailler ensemble pendant huit semaines au terme desquelles vous obtiendrez votre diplôme d'ambulancier en soins avancés. Comme vous possédez déjà une licence de pilote, vous pourriez aussi entreprendre une formation en soins critiques et…

Brusquement, le regard de George Atavik se ternit.

— Cela ne m'intéresse pas.

— Pourquoi pas, puisque vous avez une li…

Il croisa les bras sur sa poitrine :

— Je suis ici pour travailler dans une ambulance.

Bon. Mieux valait ne pas insister, comme le comprit Samantha, et elle sortit quelques feuilles de la chemise cartonnée.

— Très bien. Il ne vous reste plus qu'à remplir ces formulaires et nous entamerons votre première journée.

Tout en s'éloignant pour boire un café, elle ne put s'empêcher de lui jeter un dernier coup d'œil. Qu'est-ce qui pouvait bien amener un pilote ayant à son actif autant d'heures de vol à démissionner ?

Pour sa part, elle en aurait été incapable !

Comme s'il se sentait observé, il leva la tête et la fixa avec une telle intensité qu'elle rougit malgré elle. Prise la main dans le sac !

Se détournant à la hâte, elle feignit de l'ignorer et poursuivit son chemin. Sa nuque la brûlait, comme si les yeux de George Atavik avaient quitté leurs orbites pour se planter dans sa chair. Les joues en feu, elle regretta d'avoir noué ses longs cheveux en une queue-de-cheval. Si elle les avait lâchés sur ses épaules, ils auraient masqué cette rougeur qui gagnait lentement son cou.

Cameron, son défunt mari, trouvait cela adorable.

Pas elle !

Elle détestait cette incapacité à contrôler ses propres réactions ! En l'occurrence, elle devait absolument se maîtriser. Elle était l'instructrice de cet homme, son enseignante.

Elle devait garder son travail en tête : faire d'un infirmier habilité à piloter un avion un ambulancier travaillant au sol.

Peut-être qu'après avoir été chahuté en voiture, il changerait d'avis… Là d'où il venait, il n'y avait pas beaucoup de routes. On se déplaçait en avion, en scooter des neiges ou à la rigueur en VTT.

Un petit sourire aux lèvres, elle commanda un café au distributeur. Elle allait devoir le tester en tant que chauffeur. S'il n'aimait pas conduire une ambulance, il serait bien obligé de revoir sa position.

— On se réveille, Atavik !

George leva les yeux vers Samantha.

— Quoi ? Qu'est-ce que vous avez dit ?

Il avait du mal à se concentrer.

En arrivant à la base d'entraînement d'Air Ambulance située à London, dans l'Ontario, il ne s'attendait pas à ce que son instructeur soit une instructrice… Et une femme sexy, de surcroît !

Sexy ? Il était loin du compte, même ! A dire vrai, elle était absolument superbe !

Les autres formateurs étaient tous des hommes.

Des types costauds et virils…

En venant à London, il avait l'intention de se tenir à l'écart de la gent féminine pour se focaliser sur sa carrière. Il voulait s'épanouir dans son travail en essayant quelque chose de nouveau et de différent.

Rien ne devait le détourner de son but.

Et son instructrice était du genre à le distraire…

Elle était grande et mince, mais avec des rondeurs placées aux bons endroits. Il n'aimait pas les filles trop maigres et il lui fallait déployer des trésors d'énergie pour ne pas la déshabiller du regard.

Ses cheveux noirs étaient noués en une queue-de-cheval,

elle avait la peau mate et des yeux en amande d'un bleu stupéfiant.

Elle était gracieuse, calme… et elle avait une très jolie chute de reins ! Pourquoi fallait-il qu'il soit toujours attiré par le même type de femmes ?

Taille fine, poitrine ronde et fesses rebondies…

Et bien entendu, des bourreaux de travail !

A la fac, sa petite amie correspondait déjà au profil. Sous des dehors froids, elle cachait une nature ardente et explosive. Malheureusement, elle avait décidé que le poste qui l'attendait à Toronto était plus important que lui.

En toute franchise, il devait avouer que leur rupture ne l'avait pas anéanti.

En revanche, sa dernière histoire lui avait broyé le cœur.

Celle qu'il comptait épouser… Cette fille l'avait poignardé dans le dos, le laissant aussi meurtri à l'intérieur qu'il l'était à l'extérieur.

Mais il ne voulait pas penser à Cheryl !

Cheryl, la seule femme avec qui il avait envisagé de se ranger.

La femme qui devait devenir sa partenaire après le départ d'Ambrose, son copilote.

Chaque fois qu'il évoquait celle-ci, il se rappelait qu'il ne volerait jamais plus et qu'il s'était juré de ne plus jamais retomber amoureux. Et surtout pas d'une infirmière.

La dernière fois, cela s'était très mal terminé.

Mayday ! Mayday ! Mayday ! Medic Air 1254 à la tour de contrôle d'Iqaluit. Nous avons une panne de moteur. Je répète : une panne de moteur. Nous allons devoir faire un atterrissage forcé à vingt kilomètres au nord de votre base. Descente à quatre mille pieds. Nous effectuons un demi-tour à cent quatre-vingts degrés.

Le front de George était moite de sueur.

— On dirait que vous allez être malade, Atavik, remarqua Samantha.

12

George lui adressa un petit sourire.

— Désolé.

Après avoir rassemblé les formulaires qu'il venait de remplir, il se leva et les remit à Samantha.

— Vous vous sentez bien ? demanda-t-elle.

— Tout à fait, merci.

— Vous en êtes sûr ?

— Absolument, lui répliqua-t-il un peu sèchement.

Il n'avait ni besoin ni envie de sa sollicitude. Il était là pour effectuer un travail.

Samantha haussa ses jolis sourcils et il devina qu'elle ne le croyait pas.

— Très bien, dit-elle. Vous être prêt à prendre la route ?

George jeta un coup d'œil aux autres stagiaires, qui avaient deux instructeurs, eux. Tous des hommes, et qui n'auraient donc présenté aucun danger pour lui.

Ou plutôt : aucune tentation…

— On y va ? demanda encore Samantha.

— J'arrive.

— Parfait !

L'expression moqueuse de Samantha inquiéta un peu George. Qu'est-ce qu'elle mijotait ?

— Je vais déposer votre dossier, précisa-t-elle, et on pourra s'en aller.

Elle disparut dans un bureau et en ressortit une minute plus tard.

— Nous allons prendre l'ambulance numéro 7.

— Elle est fiable ? demanda-t-il en la suivant dans le garage.

— Vous verrez bien.

— Vous avez l'intention de me torturer, c'est ça ? marmonna-t-il.

Elle dut l'entendre, car elle ouvrait la bouche pour répondre quand le véhicule qui se trouvait près du leur démarra, sirènes hurlantes.

— Dépêchez-vous un peu, cria quelqu'un. Il y a un carambolage sur l'autoroute 401.

Samantha se mit à courir vers leur ambulance.

— Allez, le bleu ! cria-t-elle. On va voir de quel bois vous êtes fait.

George essaya d'avaler la grosse boule qui s'était formée dans sa gorge et emboîta le pas à Samantha. Dès qu'ils furent assis à l'avant du véhicule, elle démarra et ils sortirent du garage en trombe.

— Appuyez sur ce bouton pour moi, ordonna-t-elle en lui montrant un interrupteur rouge, sur le tableau de bord.

Il obéit et aussitôt, le gyrophare et la sirène entrèrent en action. C'était assez impressionnant... Il n'y en avait pas, dans son avion.

Elle lui décocha un bref coup d'œil.

— Ça va comme vous voulez, Atavik ?

— Très bien, affirma-t-il.

Ce qui était un gros mensonge.

En réalité, il se sentait totalement perdu. Etait-ce les cahots de l'ambulance lancée sur la route ou la perspective d'affronter cet accident de voiture ? Il n'avait jamais été confronté à ce genre d'événement... Il n'y avait pas beaucoup de circulation, dans le Nunavut.

En arrivant dans le Sud, il avait été impressionné par le nombre d'autoroutes. En réalité, tout, dans London, était assez effrayant, même si Quinn, le mari de sa sœur Charlotte, l'avait initié à la conduite en ville.

Il était capable de se débrouiller, mais il préférait les routes secondaires.

Les sirènes lui déchiraient les tympans. Il n'y était pas habitué non plus, et franchement, c'était à se demander s'il s'accoutumerait jamais aux bruits de la ville. Surtout s'il s'agissait de foncer dans les rues, assis à l'avant d'une ambulance.

Son avion était silencieux.

Enfin, jusqu'à ce que...

Non, il ne devait pas y penser !

Adressant son plus beau sourire à Samantha, il essuya son front humide du revers du bras.

— Vous êtes sûr que ça va ? lui demanda-t-elle.

Oui — sauf qu'avec elle il prenait un risque…

— Tout à fait, répéta-t-il.

— On arrive sur le lieu de l'accident dans cinq minutes.

George inspira profondément. La simple idée d'être infirmier dans une grande ville le rendait nerveux. Mais il ne pouvait pas retourner à Cape Recluse. Après le crash de son avion, l'armée avait ouvert une base et organisé un service d'ambulances aériennes avec Air Ambulance.

Sa présence aurait été superflue.

Sa décision de gagner le sud de l'Ontario et de tenter un nouveau départ était-elle stupide ? Ce travail lui était totalement étranger… Aurait-il dû abandonner son rêve de sauver des vies ?

En entamant cette formation, il espérait retrouver son enthousiasme d'antan.

Mais il était plus âgé que les autres stagiaires.

Il avait trente-trois ans.

Bon sang, qu'est-ce qu'il faisait là ?

L'ambulance ralentit et George tendit le cou tandis qu'ils roulaient à vitesse réduite sur la bretelle menant à l'autoroute. Il aperçut la fumée qui montait depuis le lieu de l'accident. La police et les pompiers étaient déjà là. Il jeta un regard en arrière. D'autres ambulances encore les suivaient de près.

— Vous êtes prêt, Atavik ?

Samantha se pencha pour poser la main sur son genou et le pressa légèrement. Ce fut comme une décharge électrique.

— Oui !

Elle gara l'ambulance et ouvrit sa portière.

— Que le spectacle commence ! lança-t-elle en jaillissant hors du véhicule, aussitôt imitée par George.

Le cœur battant à un rythme accéléré, il évalua la situation. La circulation était stoppée sur des kilomètres et plus de cinq voitures étaient impliquées dans l'accident, ainsi qu'un camion-citerne couché sur le côté en travers de la chaussée.

Se retrouver au cœur de cette catastrophe était ahurissant. Il était là pour faire son travail, et il le ferait, mais… en dehors de la poussée d'adrénaline, il ne ressentait rien. Comme s'il était mort à l'intérieur.

2.

Le chef des pompiers vint à leur rencontre.

— Ce camion risque d'exploser d'un instant à l'autre. Il faut évacuer tous ces gens.

— Presque tous les blessés ont été emmenés, répondit Samantha.

— Et la circulation a été interrompue dans les deux sens, ajouta un officier de police.

Samantha regarda autour d'elle. Les accidents de voiture la bouleversaient toujours. Cameron avait démoli son ambulance en effectuant une marche arrière qui l'avait mené droit dans un mur. C'était une erreur absurde — et c'était quand les médecins l'avaient examiné pour en comprendre la cause qu'ils avaient trouvé la tumeur.

Voilà ce que ce genre de carambolage rappelait à Samantha : le moment où leurs vies avaient basculé.

Pendant que les autres continuaient de discuter, elle observait George. Il était calme et s'occupait des blessés avec efficacité. On aurait dit qu'il était insensible au bruit, à la fumée et aux cris... Il travaillait comme une machine.

Au début, elle était restée près de lui. Constatant qu'il savait exactement ce qu'il devait faire, elle l'avait laissé poursuivre seul sa tâche.

Pour l'instant, il était accroupi auprès d'une vieille dame victime d'une blessure à la tête et dont l'état paraissait relativement grave. Il l'apaisait en lui prodiguant des paroles d'encouragement et elle lui souriait.

Il était clairement fait pour ce métier...

Quel dommage qu'il se refuse à voler ! Elle espérait toujours le convaincre qu'il serait davantage à sa place aux commandes d'un avion.

Avec autant d'heures de vol à son actif, il avait forcément l'aviation dans le sang !

Dès qu'il lui fit signe que la patiente pouvait être évacuée, elle poussa le brancard jusqu'à lui et il se releva à son approche.

— Je pense qu'elle est la dernière, constata-t-il. Vous êtes prête, madame Walker ?

— Plus que prête, mon garçon.

Samantha dressa les sourcils... *Mon garçon ?*

Un sourire aux lèvres, George aida la vieille dame à se mettre debout, puis à s'asseoir sur le brancard.

— On va vous emmener à l'hôpital.

Samantha et George installèrent Mme Walker dans l'ambulance d'un confrère car la leur était bloquée par un véhicule de police. Après avoir fermé les portières, George fit signe au conducteur qu'il pouvait démarrer.

Pendant ce temps, les pompiers éloignaient les gens du camion-citerne d'où une fumée commençait à s'échapper.

— Il faut qu'on s'en aille, dit Samantha.

— Je pense que c'est...

George s'interrompit net. Une femme venait de pousser un cri perçant, un cri que Samantha reconnut aussitôt : la détresse d'une mère.

— Mon bébé !

Samantha tourna la tête. Une toute petite fille courait sur la chaussée en direction du camion. Les pompiers ne la voyaient pas.

La mère hurlait son prénom, mais elle était immobilisée sur son brancard par des sangles.

En un instant, George évalua la situation — et il se mit à courir. Samantha tendit la main pour le retenir, mais ses doigts glissèrent sur sa chemise. Malgré les protestations des pompiers, il se rua vers le camion et la petite fille.

— Revenez tout de suite, Atavik ! cria Samantha.

Elle voulut le suivre, mais fut stoppée par un pompier.

— Vous ne pouvez pas y aller !

— Il le faut ! C'est mon partenaire ! Mon idiot de partenaire !

Le pompier se retourna.

— Quel crétin !

Le cœur de Samantha battait à tout rompre, mais elle dut reculer. Curieux comme dans ce genre de circonstances, tout semble se dérouler au ralenti.

Elle vit George approcher du camion qui s'enflamma d'un coup. Saisissant l'enfant terrifiée, il fit volte-face et se remit à courir. Il eut à peine le temps de refaire le trajet en sens inverse. Il croisa les pompiers qui couraient avec leurs tuyaux afin de maîtriser les flammes.

Il serrait la petite fille contre sa poitrine, une main sur sa tête. Il sortit de la mêlée, tel un rugbyman gagnant la zone des buts, le ballon dans les mains.

Le rythme cardiaque de Samantha s'apaisait peu à peu. Elle se fraya un chemin parmi les pompiers pour aller à la rencontre de George. Il était hors d'haleine, il y avait de la suie sur son visage et apparemment, il avait été brûlé au bras.

— Vous êtes blessé !

— Je sais, dit-il en s'approchant de la mère pour lui remettre son enfant en pleurs.

— Merci ! s'exclama celle-ci en se cramponnant à sa petite fille. Dieu soit loué, merci !

George lui sourit, puis il tapota la tête blonde de l'enfant.

Quand deux autres infirmiers emmenèrent la femme, George laissa échapper un gémissement, puis il regarda son bras et jura tout bas.

Les bras croisés sur la poitrine, Samantha lui lança un regard noir.

— On dirait que nous avons un patient de plus à emmener à l'hôpital. Montez dans l'ambulance, Atavik.

George se crispa quand la femme-médecin des urgences appliqua de la pommade sur son bras avant de le bander.

— On m'a raconté que vous étiez quasiment un héros, lui dit-elle. Vous avez de la chance que ce ne soit pas plus grave.

George haussa les épaules.

— Vous auriez fait la même chose à ma place.

Il jeta un coup d'œil en direction de Samantha qui faisait les cent pas dans le hall. Il savait qu'elle était furieuse, sans l'ombre d'un doute : sa sœur Charlotte se comportait exactement de la même façon.

Elle s'arrêta d'arpenter la salle pour parler avec un policier qui prit quelques notes.

Ce n'était pas bon… Pas bon du tout !

Il espérait ne pas avoir d'ennuis dès le premier jour. Les infirmiers stagiaires n'étaient pas censés se précipiter vers un camion-citerne sur le point d'exploser.

Et puis, une autre personne entra dans son champ de vision et George leva les yeux au ciel.

Il ne manquait plus que cela !

— George ! s'exclama Quinn en entrant dans le box.

La femme-médecin se tourna vers lui.

— Vous êtes un membre de la famille ?

— Je suis son beau-frère.

— Seuls les médecins sont autorisés à pénétrer dans ce box !

— Ça tombe bien, puisque je suis le Dr Quinn Devlyn. On m'a dit ce que tu avais fait, continua-t-il à l'intention de George. Comment vais-je expliquer ça à ta sœur ?

— Ne lui dis rien, s'il te plaît, d'accord ?

— Trop tard ! Tu fais déjà la une des journaux télévisés. Qu'est-ce que tu t'imaginais ? C'est comme cela que je l'ai su.

— La une des journaux ? répéta George. Alors là, je suis dans de sales draps !

— Tu peux le dire. Charlotte m'a déjà appelé trois fois. Elle m'a ordonné de venir à l'hôpital pour te botter le derrière et aussi t'embrasser. Soyons clair : je n'en ferai rien.

George se mit à rire.

— Je te remercie.

— Elle ne veut pas que Liv grandisse sans son oncle, précisa Quinn avec un soupir. Ta sœur se fait du souci pour toi, mon pote. Et ta partenaire me semble légèrement énervée, elle aussi.

George jeta un coup d'œil à Samantha, qui le foudroyait justement du regard.

Bon sang de bonsoir !

— Quand reprends-tu l'avion pour Nunavut ? demanda-t-il à son beau-frère.

— Demain… Pourquoi ?

— Je pourrais bien repartir avec toi.

George bougea le bras et fit la grimace.

Quinn se tourna vers le médecin.

— La blessure est grave ?

— Pas trop, non.

Elle signa la feuille de sortie et précisa :

— Prenez de l'ibuprofène pour soulager la douleur. Pour le reste, il suffit que la zone soit propre et sèche.

— Merci, docteur.

George prit le papier qu'elle lui tendait et le fourra dans sa poche, puis il se leva.

Quand la jeune femme fut partie, Quinn lui décocha un petit coup de coude dans les côtes.

— Elle est mignonne, non ?

— Tu veux me caser, c'est ça ?

— On se fait tous du souci pour toi. Cela fait un an, maintenant…

George soupira. Il ne le savait que trop bien, pourtant l'événement restait gravé dans sa mémoire, aussi frais que le jour où il était arrivé.

— Je n'ai pas très envie d'y penser maintenant.

— Désolé.

— Ne le sois pas. Que dirais-tu de me payer un verre avant de partir ?

— Je croyais que tu ne buvais pas d'alcool !

— Je peux faire une exception.

— En ce cas, tu as de la chance, parce qu'il y a pas mal de gens qui veulent t'inviter à boire un coup, ce soir.

Quand George sortit dans le hall, il fut accueilli par des applaudissements. Un groupe d'infirmiers, de policiers et de pompiers l'attendaient.

Il s'immobilisa, déconcerté par cette ovation. Il n'avait rien fait de tellement exceptionnel ! C'était son métier, de sauver des vies.

Tout comme ils le faisaient tous.

Se forçant à sourire, George serra un nombre incalculable de mains.

Il n'appréciait pas vraiment d'être le centre de toute cette attention.

3.

Elle n'aurait pas dû être là.

C'est ce que Samantha ne cessait de se répéter depuis qu'elle avait franchi le seuil du O'Shea, le pub du coin.

George était entouré par des infirmiers qui lui offraient des verres et il y avait aussi le beau-frère de celui-ci.

Ils monopolisaient son temps alors qu'il aurait dû rentrer chez lui pour se reposer… Mais elle n'était pas sa mère !

Elle aussi, elle aurait mieux fait de rentrer chez elle, d'ailleurs. Mais dans la mesure où Adam était chez ses grands-parents, elle disposait de trois bonnes heures avant de regagner son appartement.

Et puis… les soirées étaient longues et solitaires, depuis dix ans.

Et elle avait du mal à trouver le sommeil.

Elle commanda un autre verre de mauvais whisky et leva les yeux vers la télévision. On repassait en boucle les événements de la journée.

Sur le coup, elle n'avait pas remarqué la présence des journalistes parce qu'elle se concentrait sur sa tâche.

— Je prendrai un thé glacé, fit une voix masculine.

Samantha se tourna. George se tenait juste à côté d'elle, devant le bar.

— Un thé glacé ? s'étonna-t-elle.

— Je ne bois pas d'alcool. De toute façon, je n'en prendrais pas à cause de cette blessure. Ce ne serait pas très indiqué.

— Où est votre beau-frère médecin ?

— Quinn ? Il est retourné à son hôtel. Il prend l'avion pour Iqaluit de bonne heure, demain matin.

George remercia le barman et lui tendit un billet de cinq dollars.

— Pas la peine, mon pote, dit ce dernier. C'est sur le compte de la maison.

— Merci.

George vint s'asseoir près de Samantha.

— Vous m'en voulez au point de me virer du stage ? lui demanda-t-il.

Elle se mit à rire.

— Quand même pas.

George but une gorgée de thé.

— Est-ce que vous pourriez me jurer que vous n'en auriez pas fait autant ?

Il avait raison. S'il n'avait pas été là et si elle avait vu cette petite fille en train de courir en direction du camion-citerne, elle se serait lancée à sa poursuite. Bien sûr, elle en aurait aussi éprouvé une grande culpabilité à cause d'Adam.

Il avait déjà perdu son père et elle n'avait pas le droit de le priver de sa mère.

Adam était sa priorité.

Elle enviait presque George d'être libre de ses actes.

— J'aurais agi comme vous, admit-elle. Vous méritez toutes ces félicitations, mais je devine que c'est aussi un peu pénible.

George fronça les sourcils.

— Je ne suis pas un héros, loin de là.

Soudain, il paraissait tendu. Percevant un tourment intérieur, Samantha se demanda une fois de plus pourquoi il ne voulait plus piloter.

Qu'est-ce qu'il cachait ?

Mais cela ne la regardait décidément pas !

Ce n'était pas le moment de sortir avec un homme et encore moins de s'engager avec lui. Elle était mère célibataire, elle exerçait une profession prenante et de surcroît, elle quitterait bientôt la ville.

Pour toutes ces raisons, elle ne devait *pas* s'intéresser à George. Il n'était pas pour elle et de toute façon, elle ne voulait plus souffrir.

Aimer, c'était aussi prendre le risque de perdre…

Une expérience qu'elle ne voulait plus *jamais* faire.

— Est-ce que London vous plaît ? demanda-t-elle pour changer de sujet

— C'est grand.

— Certainement, en comparaison d'Iqaluit, admit-elle avec un sourire.

— Les choses sont moins chères.

— Plutôt étrange, comme remarque !

Il avait un rire très plaisant…

— Alors ? insista-t-elle. Qu'est-ce qui est moins cher ?

— Le papier hygiénique. A Iqaluit, cela vaut de l'or. Ici, vous n'êtes pas obligé d'y laisser un bras pour en avoir.

— Je rêve ou vous êtes *vraiment* en train de discuter de papier hygiénique avec moi ? fit-elle en riant.

De nouveau, les yeux sombres de George pétillèrent de malice.

— J'en ai bien l'impression.

— Cela ne m'était jamais arrivé dans un bar.

— Eh bien, il y a un début à tout.

Le cœur de Samantha se mit à battre plus vite.

Ne pas flirter ! Ne pas flirter !

Pourquoi les hommes comme George avaient-ils le don de la séduire ? Cameron était très taquin, lui aussi.

— Et si on parlait des bons de réduction ? suggéra George en haussant les sourcils d'un air comique.

Samantha rit au point d'en avoir mal aux côtes.

Depuis combien de temps ne s'était-elle pas amusée de cette façon ?

Attention, danger !

— Vous avez un très joli sourire, quand vous vous laissez aller, remarqua George.

Aussitôt, il toussota et se rembrunit.

— Désolé, je n'aurais pas dû dire cela.

— Pas de problème, assura Samantha en rougissant. Et merci.

Ce type l'attirait vraiment !

Et cette histoire allait mal se terminer.

Pour commencer, elle était son instructrice, et de ce fait, il était inaccessible. Ensuite, elle quitterait bientôt London pour Thunder Bay. Toute relation avec un homme serait éphémère et en tant que maman d'un petit garçon, elle ne pouvait pas se le permettre.

Bref, elle devait s'en aller au plus vite.

— Quelque chose ne va pas ? lui demanda George.

— Non. Pourquoi cette question ?

— A cause de votre expression.

— Eh bien… On a eu une dure journée. A ce propos, je ferais bien de rentrer chez moi.

Samantha vida son verre et se leva.

— Vous avez un moyen de transport ? lui demanda-t-il.

— Je vais prendre le bus. J'habite au sud de la ville.

— Permettez-moi de vous accompagner jusqu'à l'arrêt.

— Vous n'êtes pas obligé…

— J'en ai envie, dit-il sur un ton qui n'admettait aucune discussion.

Comme ils se dirigeaient vers la porte, quelqu'un interpella George :

— Tu t'en vas déjà, Atavik ?

George se retourna.

— Je fais quelques pas dehors avec Doxtator et je reviens.

Sachant qu'ils étaient maintenant l'objet de l'attention générale, Samantha rentra la tête dans les épaules. Elle aurait bien dit à George de rester dans le pub, mais elle doutait qu'il l'écoute.

Lorsqu'ils gravirent les quelques marches qui menaient à la rue, il lui posa une main dans le dos.

En ce mois de mai, le soleil commençait à disparaître à l'ouest. A mesure que le crépuscule s'emparait de la ville, les lampadaires s'illuminaient les uns après les autres.

Une petite brise rafraîchissante caressa leurs visages.

— Je ne pense pas pouvoir m'habituer à cette chaleur, remarqua George.

— Tout comme nous serions bien incapables de nous accoutumer au froid du Grand Nord.

George sourit mais comme toujours, il reprit presque aussitôt son air sérieux.

— Vous êtes certaine de ne pas pouvoir rester un peu ?

— Merci, mais c'est impossible.

— Pourquoi ?

— Adam ne va pas tarder à rentrer à la maison.

Il arbora immédiatement l'expression qu'avaient tous les hommes quand elle mentionnait Adam : un mélange d'envie mêlé de déception.

Qui était cet Adam ?

Ce fut la première question que George se posa, bientôt suivie par la seconde :

Qu'est-ce que cela pouvait bien lui faire ?

Cela ne le regardait pas. Une femme aussi belle que Samantha avait forcément un mari ou un compagnon. D'ailleurs, il ferait bien de se rappeler qu'elle était inaccessible.

Oui, elle était belle, elle l'intriguait, et il aurait préféré qu'elle ne soit pas son instructrice, qu'elle soit célibataire et qu'il vienne de la rencontrer dans un bar… Et bien entendu, il l'aurait draguée.

Mais qui essayait-il de tromper ?

Cheryl avait tué en lui tout désir amoureux et plus *jamais* il ne prendrait un tel risque ! Il se l'était promis sur son lit d'hôpital.

« *Tu as le droit de vivre, George. Laisse le passé derrière toi ! »*

Les paroles de sa sœur Mentlana résonnèrent dans sa tête. Elle se trompait… Il ne méritait pas de connaître de nouveau l'amour.

Mais pourquoi ses pensées dérivaient-elles de cette façon ?

Certes, Samantha lui plaisait, mais cela n'impliquait pas pour autant que quelque chose doive se passer entre eux.

Sauf qu'elle était la première femme qui l'attirait vraiment depuis Cheryl.

Ils gagnèrent ensemble l'arrêt de bus.

— Demain matin, vous avez une session de formation à 7 heures tapantes, lui dit-elle. On se reverra dans l'après-midi. Passez le mot aux autres infirmiers.

— D'accord.

— Vous pouvez retourner au pub, maintenant, ajouta-t-elle en se fourrant les mains dans les poches.

— Je préfère attendre avec vous.

Il s'aventurait en terrain dangereux, mais il ne pouvait pas s'en empêcher.

Les joues de Samantha se teintèrent de rose.

Les yeux braqués sur elle, George toussota. Elle était magnifique… et il avait intérêt à prendre ses jambes à son cou.

Vite !

Seulement, il était incapable de bouger. Il resta là, si près d'elle qu'il aurait pu la toucher.

Il était grand temps de s'éclipser…

Mais il n'en fit rien. Bien au contraire, il se demandait ce qu'il ressentirait s'il l'embrassait. Les lèvres de Samantha paraissaient douces et humides.

Avaient-elles aussi bon goût qu'il l'imaginait ?

— Vous avez raison, dit-il, je vais vous laisser. Je suis certain qu'Adam, votre petit ami, sera heureux de vous savoir en sécurité à la maison.

L'autobus arriva juste à cet instant et les portières s'ouvrirent. Sans répondre, Samantha grimpa à l'intérieur.

Quel imbécile il faisait !

Immobile, comme pétrifié, il attendit qu'elle lui dise quelque chose.

« Fichez-le camp », par exemple.

Mais elle lui sourit, les joues plus roses que jamais.

— Je n'ai pas de petit ami, lui dit-elle avant que les portières se referment. Adam est mon fils.

George suivit le bus des yeux tandis qu'il s'éloignait. Il était soulagé d'apprendre qu'Adam était son fils, mais cela ne dura pas longtemps.

S'il y avait un enfant, il y avait un père.

Retour à la case départ : elle était inaccessible.

Même s'il n'en avait pas envie, il ne lui restait plus qu'à garder ses distances. Il était là pour apprendre, pas pour sortir avec une femme ou tomber amoureux.

L'amour avait déjà failli le détruire.

Il ne commettrait pas cette erreur deux fois.

4.

Samantha avait cru que George allait l'embrasser, mais il ne l'avait pas fait et elle en éprouvait un soulagement mêlé de déception.

Cela faisait si longtemps qu'elle n'avait pas été embrassée...

Bien sûr, elle venait de faire la connaissance de George et elle était son instructrice, et pourtant... elle ne pouvait nier qu'il avait réveillé quelque chose en elle. Une petite étincelle qui crépitait, une braise qui couvait et lui donnait le vertige.

Cela avait commencé au moment où elle l'avait vu courir sur l'autoroute, serrant cette petite fille contre lui.

Il l'avait sauvée au péril de sa propre vie.

Etait-ce l'instinct maternel qui la troublait ainsi ?

Lorsqu'elle avait épousé Cameron, elle s'était juré qu'il serait son premier et unique amour. Mais elle ne s'attendait pas à ce qu'il la quitte aussi vite...

Elle avait cru qu'ils vivraient ensemble au moins un demi-siècle ! A la place, ils n'avaient eu droit qu'à cinq années de bonheur.

Un an après son décès, la mère de Cameron, Joyce, lui avait conseillé d'aller de l'avant. Elle trouvait Samantha trop jeune pour passer le reste de sa vie seule.

Ces propos avaient horrifié Samantha. Elle ne pouvait tout simplement pas envisager de rencontrer un autre homme ou de tomber amoureuse.

Dix ans plus tard, cette perspective ne l'effrayait plus autant.

Elle toucha ses lèvres qui frémissaient encore d'anticipation. Il lui sembla sentir l'odeur de George, lorsqu'il avait été tout près d'elle. Rien que de penser à ce qu'il aurait pu se passer, un frisson la parcourut.

Elle devait se reprendre ! Elle se trompait du tout au tout, si elle s'imaginait que George s'intéressait à elle.

C'était sans doute un effet de l'alcool…

Une fois chez elle, elle alla droit dans la salle de bains et s'aspergea le visage avec de l'eau froide, puis elle défit sa queue-de-cheval et se brossa les cheveux un long moment.

Mais toute cette agitation ne suffit pas à chasser George de son esprit et elle comprit qu'elle aurait du mal à le côtoyer chaque jour pendant *huit semaines*.

Quand les parents de Cameron ramenèrent Adam à la maison, elle prit le temps de bavarder avec eux et lança même quelques plaisanteries, mais elle était certaine de se comporter comme un zombie.

Ses beaux-parents avaient bien dû le remarquer, d'ailleurs : à plusieurs reprises, ils lui demandèrent si elle allait bien. Elle leur expliqua qu'il y avait eu un gros carambolage sur l'autoroute et qu'elle était fatiguée. Cette excuse sembla les convaincre — *heureusement* — et ils ne tardèrent pas à partir.

En revanche, Adam ne comprenait pas la distraction de sa mère.

— Qu'est-ce qui t'arrive, maman ? lui demanda-t-il avec inquiétude.

— Rien du tout, voyons ! Pourquoi cette question ?

Adam haussa les épaules.

— Tu as l'air bizarre.

— Je vais bien, mon chéri, je t'assure.

Il n'insista pas et changea de sujet :

— Je peux regarder la télé, maman ?

— Non. Tu vas à l'école demain et il est temps de te coucher.

— C'est obligé ?

— Absolument.

En s'occupant de son fils, Samantha parvint à chasser George de son esprit — un petit moment. Mais un peu plus tard, dans sa chambre, le fantasme de ce baiser revint la hanter... De toute façon, elle avait toujours du mal à s'endormir dans ce grand lit vide.

Ce soir, elle se sentait plus seule que jamais. Elle se tourna et se retourna toute la nuit. Au matin, elle se prépara une double dose de café, puis elle réveilla Adam.

Lorsqu'elle se rendit au travail, elle n'aurait su dire comment elle avait traversé la ville. Elle ne se rappelait plus le trajet et cela commençait à être ridicule !

— Salut, Samantha, comment s'est passée cette première journée de stage ?

Samantha fixa le gobelet de café qu'elle tenait à la main comme s'il venait de s'adresser à elle.

— Quoi ?

— Hello ! Ici la terre, Sam !

Samantha se tourna vers Lizzie qui la fixait d'un air bizarre.

— Quoi ?

— Je t'ai demandé comment s'était passée la première journée.

— Je peux savoir ce qui me vaut ce regard ?

Lizzie arbora un petit sourire satisfait.

— Je *sais* ce qui est arrivé. L'assurance de l'hôpital nous a parlé d'un infirmier brûlé au bras.

— George ? grommela Samantha.

Lizzie lui tendit un journal. La photo qui occupait la première page sauta aux yeux de Samantha. On voyait George se frayer un chemin parmi les pompiers qui braquaient leurs tuyaux sur un mur de flammes, derrière lui.

Il tenait dans ses bras une toute petite fille.

Le gros titre disait : « Un infirmier héroïque. »

Prenant le journal des mains de Lizzie, Samantha parcourut l'article dans les grandes lignes.

— Ça a dû être une sacrée bonne journée ! remarqua

Lizzie. Tout le monde n'a pas la chance d'avoir un bleu aussi exceptionnel.

— C'est vrai, il a fait du bon boulot, dit Samantha en lui rendant le journal. Espérons qu'il n'ait pas la grosse tête et qu'il ne se pavane pas ici comme s'il était le propriétaire de la baraque.

— Je n'ai pas l'impression que ce soit son genre.

Non, en effet, et Samantha le savait bien. Cependant, ce genre de prose aurait flatté n'importe qui et même s'il refusait de l'admettre, George était un héros.

Pourtant, on aurait cru que ce mot lui pesait.

— A quoi tu penses ? demanda Lizzie.

— A rien. Il est arrivé ?

— Oui. Il est dans la salle de repos.

En entrant dans la pièce, Samantha l'aperçut aussitôt. Assis à une table, il était penché sur un gros manuel et étudiait.

— Bonjour ! lança-t-elle.

De peur de rougir, elle évita de le regarder. Il ne fallait pas qu'il devine à quel point il la troublait... Un silence pesant s'établit entre eux. Consciente qu'il l'observait, elle sentit ses joues s'enflammer bien malgré elle.

Elle toussota pour affermir sa voix.

— Vous êtes bien rentré chez vous ?

— Oui. Merci.

Les fossettes de la veille avaient disparu, et elle avait beau se réjouir qu'il se cantonne à une attitude purement professionnelle, elle était en même temps un peu vexée.

Ils se turent un instant, puis elle reprit :

— Nous avons un patient à transférer cet après-midi. Cela ne devrait pas présenter de difficultés.

— Où allons-nous ?

— Nous devons monter vers Goderich, précisa-t-elle en remplissant son gobelet de café.

— C'est loin ?

— Pourquoi ? Vous avez d'autres projets ?

— Non. Simple curiosité.

Samantha n'en était pas si convaincue. La perspective d'être seul avec elle semblait le contrarier.

— Goderich est à deux heures d'ici, mais tout dépend de la circulation. Je pense que cela nous prendra le reste de la journée.

Hochant la tête, George se leva et prit son sac à dos. Samantha posa les yeux sur son bras bandé.

— Vous n'avez plus mal ?

— Un peu.

— Je peux jeter un œil ?

— Si vous voulez.

Si vous voulez ?

Pourquoi avait-il accepté qu'elle le touche ?

Dans la mesure où il n'avait pas fermé l'œil de la nuit, il aurait mieux fait de refuser ! Et ce n'était pas à cause de la douleur ou des antalgiques…

C'était Samantha, l'origine de cette insomnie.

Lorsqu'elle se tenait près de lui, il pouvait sentir son parfum… Une odeur de bruyère ou mieux encore, celle de la toundra en été.

Ce qu'il croyait mort en lui depuis Cheryl reprenait vie. Il brûlait d'envie de prendre Samantha dans ses bras et de l'embrasser.

Et maintenant, il allait passer plusieurs heures dans l'ambulance seul avec elle. Il savait déjà que ce serait une véritable torture…

S'il était venu à London, ce n'était pas pour tomber amoureux, mais pour se spécialiser dans les soins avancés. Avec un peu de chance, on lui confierait ensuite un poste d'ambulancier à Thunder Bay.

Bien sûr, il aurait préféré travailler plus au nord. Mais pour cela, il lui faudrait piloter un avion et c'était impossible. Le trajet jusqu'à London avait déjà été suffisamment pénible, mais au moins il n'était pas aux commandes de l'appareil.

Il avait quand même pris un médicament pour se détendre, et la présence de Quinn à son côté l'avait beaucoup aidé.

George ferma les yeux… Le vacarme du crash emplit sa tête. Ensuite, il y avait eu le hurlement du vent, puis il avait cru entendre le grognement d'un ours polaire pendant qu'il se traînait sur la neige pour se mettre à l'abri.

A cet instant, il avait été certain de mourir.

Mais ce n'était pas le moment d'y penser !

Il inspira profondément et fit taire le tumulte en lui.

— Je vous fais mal ?

Il prit soudain conscience que Samantha le touchait. L'espace d'un instant, il avait oublié qu'elle examinait sa brûlure. Ses longs doigts délicats palpaient sa peau sensible. Aussi léger qu'une plume, ce contact lui réchauffait le sang.

— Pas du tout, affirma-t-il.

— On dirait que tout va bien, dit-elle. Surtout, continuez d'appliquer votre pommade.

— Ma sœur adoptive est médecin. Elle me bottera le derrière si je ne suis pas les conseils de ses confrères.

Tout en riant, Samantha remit le bandage en place et recula d'un pas.

— C'est elle qui est mariée avec le Dr Devlyn ?

— Oui, répondit George en baissant sa manche de chemise. Charlotte était la fille de notre médecin généraliste, au village. Lorsqu'il est mort, ma famille l'a accueillie parce qu'elle n'avait plus personne. Elle est devenue médecin comme son père et elle s'est installée à Cape Recluse. Lorsqu'elle a ouvert son cabinet, j'ai travaillé avec elle en tant qu'infirmier.

— On dirait que vous appartenez à une communauté très unie.

— En effet.

Samantha repoussa une mèche de cheveux noirs derrière son oreille.

— On ferait bien d'y aller. Cette expédition à Goderich va nous prendre beaucoup de temps, comme je vous l'ai dit.

Hélas !

— Bien sûr. Je vous suis.

Samantha tourna les talons sans le regarder et ils gagnèrent le garage où l'ambulance les attendait.

Pendant ce long trajet, il allait devoir combattre son instinct — qui lui commandait d'embrasser Samantha.

Ce traître d'instinct qu'il avait cru mort et enterré après Cheryl.

5.

Etre seule avec lui dans l'ambulance… Une vraie torture !

Ils n'échangèrent que très peu de mots, mais il fallait dire qu'elle ne faisait rien pour entretenir la conversation.

Et pour cause…

C'était mieux ainsi.

Combien de fois se l'était-elle répété ? Leur relation devait rester purement *professionnelle*.

Mais cela restait un véritable calvaire !

George était si près d'elle que la chaleur de son corps lui chauffait le sang. Elle se sentait dans la peau d'une adolescente qui n'a jamais été embrassée. Il suffisait qu'il remue à peine pour que le cœur de Samantha fasse des bonds dans sa poitrine.

Allait-il la prendre dans ses bras ?

Seigneur !

Elle n'aurait peut-être pas dû se focaliser sur son travail pendant si longtemps. Si elle était sortie plus souvent avec des hommes, elle n'aurait pas été maintenant dans cet état pitoyable.

Seulement voilà : aucun de ses éventuels prétendants ne l'avait intéressée.

Jusqu'à George.

— Comment s'appelle ce lac ? demanda-t-il à brûle-pourpoint.

— Le lac Huron.

— L'eau est d'un bleu incroyable !

Samantha sourit. Goderich était perchée en haut d'une

falaise et à certains endroits, on jouissait d'une vue extraordinaire. Même après la tornade qui avait ravagé la ville,
c'était l'un des plus jolis coins à des lieues à la ronde. En
tout cas, c'était son opinion.

— Vous pensiez qu'elle aurait été de quelle couleur ?
lui demanda-t-elle.

— Je ne sais pas… Grise. Le premier grand lac que
j'ai vu était le lac Ontario. Je rendais visite à ma sœur qui
faisait ses études de médecine à Toronto. J'ai dû penser
qu'ils étaient tous de la même couleur.

— Si je comprends bien, vous vous étiez déjà fait votre
opinion sur nous.

George leva les yeux au ciel en riant. Elle ne l'avait pas
encore vu sous un jour aussi décontracté. Jusqu'à présent, il
s'était montré plutôt distant. Alors, qui était le vrai George ?

Etait-ce la version polie et détachée, ou l'homme charmant et drôle qui faisait battre son cœur ?

Elle aurait bien aimé le savoir.

Ils cessèrent de parler en entrant dans la ville et un instant
plus tard, ils s'arrêtèrent devant les urgences de l'hôpital.

— Vous avez la paperasse ? demanda-t-elle à George.

Il lui montra le dossier qu'il tenait à la main avant de
sauter hors de l'ambulance.

— Bien sûr.

Samantha le suivit mais un médecin vint à leur rencontre
avant même qu'ils aient franchi le seuil des urgences.

— Vous venez chercher Doris Hallman ?

— Oui, répondit Samantha. Nous devons l'amener à
London.

— Désolé. On vous a appelés, mais vous étiez déjà partis
et vos collègues n'ont pas pu vous joindre. Mme Hallman
est décédée ce matin.

— Je suis navrée de l'apprendre, dit Samantha.

Qu'est-ce qui avait bien pu se passer pour qu'on ne les
prévienne pas par radio ?

— Vous voulez bien signer ces papiers ? intervint George
en tendant une feuille au médecin.

Un instant plus tard, ils regagnaient l'ambulance pour reprendre la direction de London. Pendant le trajet, George attrapa la radio et tenta d'appeler la base. Il n'obtint aucune réponse, pas même un grésillement.

— C'est bizarre, remarqua Samantha. Ça ne m'était jamais arrivé auparavant.

— Je me demande d'où peut bien venir le problème…

Elle ouvrait la bouche pour répondre, quand toutes les lampes du tableau de bord s'allumèrent… juste avant que de la fumée ne s'échappe du moteur.

Samantha se gara sur le bas-côté de la route tout en marmonnant quelques jurons. Le moteur émit alors un bruit horrible, avant de mourir dans un nuage de fumée.

— Je crois que nous avons notre explication, remarqua George.

Sur ces mots, il sortit de l'ambulance. Samantha actionna l'ouverture du capot et mit le frein à main avant de l'imiter.

— A quoi est-ce dû, à votre avis ? demanda-t-elle.

— Je dirai qu'il doit s'agir d'une fuite d'huile. Du coup, le système électrique et la radio sont tombés en panne.

— Vous pensez pouvoir faire quelque chose ?

George se gratta la tête.

— Sur un avion, je ne suis pas un trop mauvais mécanicien, mais je ne connais rien aux ambulances.

Super ! Elle serait en retard chez la baby-sitter qui allait chercher Adam à la sortie de l'école !

Elle sortit son téléphone de sa poche et découvrit avec horreur qu'elle n'avait plus de batterie.

— J'ai oublié de recharger mon téléphone, dit-elle à George. Vous pouvez me prêter le vôtre ?

— Je n'en ai pas.

— Pardon ?

George se mit à rire.

— On dirait que vous n'en croyez pas vos oreilles. J'ai une ligne fixe, mais pas de portable.

— Mais *tout le monde* en possède un !

— Eh bien, il faut croire que non.

Apparemment, la situation ne lui plaisait pas beaucoup non plus. Se passant la main dans les cheveux, il poussa à son tour quelques jurons. Samantha ne pouvait le blâmer… Elle aurait bien hurlé de rage, mais elle aurait beau faire, ils étaient bel et bien coincés !

Une fourgonnette remplie de matériel agricole s'arrêta près d'eux. Un vieux fermier baissa la vitre.

— Vous avez besoin d'aide ?

— Est-ce que je peux vous emprunter votre téléphone ? demanda Samantha.

George se pencha vers elle.

— Vous pensez vraiment que ce type en a un ? lui chuchota-t-il.

Les mots moururent dans sa gorge et Samantha dut réprimer un sourire quand l'homme lui tendit un smartphone.

Elle pianota rapidement le numéro de la base.

— Air Ambulance, à votre écoute. Donnez le motif de votre appel, je vous prie.

Soulagée, Samantha reconnut la voix de Lizzie.

— Ici Doxtator, ambulance 29956.

— Samantha ? Qu'est-ce qui se passe ? On essaie de te joindre depuis un bon bout de temps.

— La radio est en panne. Il y a un problème électrique, mais le moteur nous a aussi lâchés et nous sommes garés sur le bord de la route.

— L'hôpital a appelé juste après votre départ. Malheureusement, nous n'avons pas réussi à vous joindre.

— Crois-moi, j'en suis vraiment désolée.

— Pas de souci ! Nous sommes contents de savoir que tout va bien. Tu peux me donner votre localisation exacte ?

— Nous sommes à environ cinq kilomètres au sud de Goderich, sur la route 21.

— D'accord, on vous envoie une dépanneuse et une autre voiture pour vous ramener, George et toi.

Après avoir raccroché, Samantha rendit le téléphone au fermier.

— Merci pour votre aide.

— Vous voulez que je vous emmène quelque part ?

— C'est inutile, on va venir nous chercher. Il faut que nous restions près de l'ambulance.

L'homme porta la main à son chapeau.

— Bonne chance, alors ! dit-il avant de redémarrer.

Adossé à une clôture, George mâchouillait un brin d'herbe.

— Vous avez tout d'un péquenaud, remarqua Samantha en riant.

— Si j'ai bien compris, j'en suis un parce que je n'ai pas de téléphone portable, lui répliqua-t-il avec un sourire.

Ce ton léger n'était pas pour déplaire à Samantha. De temps à autre, il laissait transparaître un aspect juvénile qu'elle préférait nettement au côté plus sérieux qu'il affichait le plus souvent.

Elle avait eu son compte de tristesse…

Cameron aimait plaisanter et leur vie avait été pleine d'amour et de rire. Mais lorsque cette tumeur avait été diagnostiquée, l'homme qu'elle avait aimé avait disparu.

— Ce traitement t'aidera, tu verras.

Elle voulut prendre sa main, mais Cameron la lui arracha.

— Ne me touche pas ! Laisse-moi tranquille.

Ses yeux ne brillaient plus. Ils étaient sombres et vides. Son corps était amaigri, fragile, et la tumeur avait tué en lui tout humour.

La voix de George l'arracha à ses souvenirs.

— Dites-moi en quoi je ressemble à un paysan.

— Ce brin d'herbe, dans votre bouche.

Il le jeta par terre.

— Qu'est-ce que la base vous a dit ?

— On nous envoie une dépanneuse pour l'ambulance et une voiture pour nous.

41

— Combien de temps cela prendra-t-il ? demanda-t-il brusquement.

Il s'était rembruni sans qu'elle en comprenne la raison.

— Je n'en sais rien. Vous êtes pressé ?

— Pas particulièrement.

Un silence tendu s'installa entre eux. Mal à l'aise, Samantha aurait souhaité en connaître l'origine.

Mieux valait penser à autre chose…

George émit un petit rire qui allégea l'atmosphère.

— Qu'est-ce qu'il y a de drôle ? lui demanda-t-elle.

— Je n'aurais jamais cru que ce type possédait un téléphone portable, et encore moins un smartphone !

Samantha lui adressa un clin d'œil.

— Vous avez honte, non ? Finalement, c'est vous qui êtes hors norme, puisque vous n'en avez pas.

— Je n'en ai pas envie, lui répondit-il en haussant les épaules.

Samantha changea soudain de sujet.

— Zut ! J'aurais dû appeler la baby-sitter pour la prévenir que j'allais être en retard.

— Vous pourrez certainement le faire quand on viendra nous chercher. Avec un peu de chance, cela ne tardera pas. Par bonheur, il fait beau !

— Exact… Il aurait pu pleuvoir.

— Ne le dites pas ou ça va arriver ! J'ai l'impression que nous sommes maudits, aujourd'hui.

De nouveau, ses yeux pétillaient de malice.

— J'admets que c'est une chance, dit Samantha, mais j'aurais préféré que nous tombions en panne en ville.

— Pourquoi ? C'est plutôt joli, ici. Il y a des champs et une vue imprenable sur l'eau bleue.

— Décidément, c'est une obsession ! lui répondit Samantha en riant.

— Ce n'est pas que ce soit nouveau pour moi, mais je suis habitué à la mer, pas à l'eau douce. Ce spectacle est assez impressionnant.

La région dont il était originaire l'était encore plus, mais Samantha ne formula pas sa pensée à voix haute.

— Qu'est-ce qui vous a décidé à venir ici ? lui demanda-t-elle.

— Je voulais apprendre à conduire une ambulance et à exercer mon métier d'infirmier en ville. J'espère pouvoir travailler à Thunder Bay, par la suite.

— Vous voulez remonter au nord ?

— Je ne pourrais pas vivre ailleurs. J'ai le Nord dans la peau.

— Alors pourquoi ne pas…

— Je ne veux plus voler, trancha-t-il.

De nouveau, il était tendu comme un arc.

— Pardonnez-moi, je ne voulais pas remettre ce sujet sur le tapis. C'est juste qu'une grande partie du nord de l'Ontario n'est accessible que par les airs.

— Je le sais, dit-il avec calme, mais ma décision est prise.

Il se mit à marcher le long de la route. Raide comme un piquet, il donna quelques coups de pied dans les gravillons qui recouvraient le bas-côté.

Samantha s'en voulait un peu, mais il y avait là un mystère qui attisait sa curiosité. Il voulait travailler dans le Nord, son métier le passionnait, et il avait une licence de pilote… Malgré tout cela, il ne voulait pas voler !

Que lui était-il arrivé ?

Un événement avait dû l'affecter profondément, c'était évident.

Mais de quel droit aurait-elle fouillé dans son passé ?

Elle était son instructrice, rien de plus.

Croisant les bras sur sa poitrine, elle le rejoignit. Il avait ouvert les portières arrière de l'ambulance et s'était assis sur le rebord, les pieds posés sur le pare-chocs.

— Je suis désolée d'avoir été indiscrète… une fois de plus.

Il leva les yeux vers elle. Il paraissait plus détendu, mais ses yeux ne pétillaient plus.

— Pas de souci.

Elle s'assit près de lui.

— A quoi ressemble la vie à Iqaluit ?

— Elle est froide.

— Je m'en doutais, lui répliqua-t-elle avec un sourire. Mais encore ?

George haussa les épaules.

— J'y suis chez moi et cela me manque, mais je me plais bien ici aussi. Au moins, quand vous prenez un taxi, on n'essaie pas de vous vendre des dindes.

— Pardon ? Vous avez parlé de *dindes* ?

— La nourriture est chère, là-bas. A l'approche des vacances, les chauffeurs de taxi achètent des dindes aux grossistes qui les leur cèdent à bas prix. Ensuite, ils essaient de les revendre moins cher que les magasins, tout en faisant un bénéfice, évidemment. A l'époque de Noël, il y en a plusieurs qui m'ont proposé leurs produits.

— Vous avez accepté ?

— Bien sûr. Pourquoi pas ? Elles étaient encore congelées dans leurs coffres. Je n'avais aucune raison de m'en priver.

— Cela ne risque pas de vous arriver à London !

— J'ajoute que ces volatiles étaient délicieux.

— Ils n'étaient pas parfumés au désodorisant de voiture ?

George éclata de rire, imité par Samantha qui ne tarda pas à en avoir mal aux côtes. Cela faisait longtemps qu'elle ne s'était pas laissée aller de cette façon.

La dernière fois, c'était avec son mari…

Ils étaient sur la plage, à Grand Bend. Comme c'était l'automne, l'étendue de sable fin bondée de monde en été était presque déserte.

Ils regardaient les vagues se briser sur le rivage lorsqu'elle s'était penchée vers lui et lui avait murmuré à l'oreille qu'il allait être papa.

Dix mois plus tard, ils avaient appris que Cameron souffrait d'une tumeur au cerveau. Six mois après, il était parti.

Samantha se leva et fixa la route en direction du nord dans l'espoir de voir arriver des secours.

— Vous allez bien ? lui demanda George.

— Bien sûr, répondit-elle sans se retourner.

— Vous avez l'air tendue.

Elle hésita.

— Je pensais à mon défunt mari. Il adorait le lac Huron.

— Vous êtes veuve !

— Depuis dix ans, oui.

Mal à l'aise, elle s'éclaircit la gorge. D'ordinaire, elle ne parlait pas de Cameron aux gens. Les personnes à qui on se confiait devenaient des amis et ce genre de lien vous rendait vulnérable.

Elle changea très vite de sujet :

— Je m'en veux de ne pas avoir remarqué que l'ambulance était en mauvais état.

— Vous ne pouviez pas deviner qu'il y aurait un dysfonctionnement électrique et que le moteur allait rendre l'âme. Remercions juste le ciel que la patiente ne soit pas à bord.

Samantha se détendit d'un coup.

— Désolée. Ça ne m'était jamais arrivé auparavant.

— J'ai du mal à le croire !

— Il est vrai que vous possédez un jugement très sûr ! N'est-ce pas vous qui pensiez qu'un vieux fermier ne pouvait pas avoir de téléphone portable ?

George prit une expression faussement offusquée. Elle appréciait sa décontraction, sa capacité à prendre les choses telles qu'elles étaient.

Revenant s'asseoir près de lui, elle soupira.

— J'ai hâte que la dépanneuse arrive parce que je pourrai enfin appeler Adam, dit-elle en se pinçant le bout du nez. Je sais qu'il comprendra. C'est un brave gosse, mais je déteste lui faire faux bond, être en retard, manquer un événement important. Ce n'est pas toujours facile, d'élever seule un enfant.

— Je m'en doute.

Elle lui lança un coup d'œil de côté.

— Parfois, j'ai l'impression d'être une très mauvaise mère.

— Ça m'étonnerait beaucoup. Quel âge a-t-il ?

— Dix ans.

George parut étonné.

— Vous n'êtes pas assez âgée pour avoir un gamin de dix ans !

— Quel flatteur !

— Vous croyez que je veux vous flatter ?

Samantha rougit brusquement. George était si près d'elle qu'il aurait suffi qu'elle se penche un tout petit peu pour que leurs lèvres se rencontrent.

L'espace d'un instant, elle eut envie de l'embrasser et d'en finir avec cette obsession. Mais elle se contenta de toussoter et de fixer ses genoux.

Peu à peu, l'ombre de l'ambulance s'étirait sur l'herbe qui poussait au bord de la route.

Qu'y avait-il chez cet homme qui faisait sauter ses inhibitions ? Jetant un coup d'œil de côté, elle le vit qui contemplait le ciel, appuyé contre la portière. Il y avait quelque chose de mystérieux en lui.

Quelque chose qui l'attirait, comme si George était capable de comprendre sa douleur. Pourtant c'était impossible, puisqu'il n'était pas veuf.

En même temps, il avait le pouvoir de lui faire tout oublier… Il la libérait, en quelque sorte, et c'était un peu effrayant.

— J'adore le soleil, grommela-t-il, mais il fait diablement chaud !

— Vous plaisantez ! Il fait à peine 20 degrés.

— Dans le Nord, c'est ce qu'on appelle de la *chaleur*, répliqua-t-il en insistant sur le dernier mot.

— Eh bien dans ce cas, il vous suffit de traverser le champ et de sauter dans le lac, bien que l'eau soit encore très froide.

— J'en serais bien capable !

— Je n'en doute pas.

Rejetant la tête en arrière, Samantha regarda le ciel bleu parsemé de gros nuages blancs et cotonneux.

Au bout d'un instant, George rompit le silence :

— Je suis content que nous ayons un week-end de congé.

— Moi aussi.

De nouveau, ils se turent.

— Tous les membres de votre famille travaillent dans le domaine de la médecine ? demanda Samantha pour alléger l'atmosphère.

— Presque tous. Ma sœur Mentlana a enseigné jusqu'à ce qu'elle attende un enfant. Elle a eu quelques problèmes de santé, mais je suis certain qu'elle reprendra son poste.

— Son mari travaille ?

— En hiver, il s'occupe de sécuriser les routes verglacées et en été, il est employé sur un bateau de pêche. Ma grand-mère était artiste.

— Ah bon ? Est-ce que je la connais ?

— Vous êtes experte en art inuit ? lui demanda George avec un sourire.

— Pas vraiment, répondit Samantha en rougissant.

— Pas de souci. Peu de personnes le sont, mais certaines de ses œuvres sont exposées au musée local.

— Il faudra que vous me les montriez, dit Samantha sans réfléchir.

Décidément, elle avait une façon bien à elle de garder ses distances !

— Pourquoi pas ?

Elle remarqua qu'il s'écartait légèrement d'elle.

Elle ne l'intéressait pas ! Pourquoi s'était-elle donc imaginé le contraire ?

— Désolée… Vous n'êtes pas obligé.

— Non, je suis tout à fait d'accord pour vous faire découvrir les œuvres de ma grand-mère. C'était une femme assez impressionnante.

— Oh ! Je suis navrée. Quand est-elle décédée ?

— Il y a environ deux ans, mais elle avait cent ans passés et elle a eu une bonne vie.

Samantha écarquilla les yeux.

— C'est extraordinaire !

— En effet… J'aperçois un gyrophare. Je crois que c'est notre dépanneuse.

Samantha vit à son tour les lumières qui clignotaient

sur la route. Elle était soulagée que les secours arrivent si rapidement, tout en regrettant un peu que ce moment d'intimité prenne fin.

Elle avait apprécié les instants qu'ils avaient passés ensemble. La journée était belle et cela faisait longtemps qu'elle n'avait pas eu un moment pour s'asseoir et contempler la nature sans rien faire.

Mieux valait pour elle, pourtant, qu'ils soient bientôt affectés tous les deux dans des endroits différents.

George l'attirait. Pourquoi le nier ?

Cameron était parti depuis longtemps et ce n'était pas son souvenir qui la retenait, mais plutôt la peur de souffrir.

Lorsqu'il était mort, son cœur avait été littéralement broyé et il lui avait fallu du temps pour guérir.

Le chagrin était toujours là, mais c'était une douleur sourde à présent, presque supportable.

Elle ne voulait pas risquer de revivre une expérience aussi cruelle.

Il n'y avait pas d'avenir, pour George et elle.

Et c'était mieux ainsi.

6.

La tête posée sur l'épaule de George, Samantha s'était endormie.

Ils étaient assis à l'arrière de l'ambulance qui les ramenait à London. Au moins, Samantha avait pu prévenir la baby-sitter de son retard.

Son inquiétude pour son fils réchauffait le cœur de George. Etre obligée de servir à la fois de mère et de père à Adam, exercer un métier prenant… Tout cela avait un prix !

Rien d'étonnant à ce qu'elle soit stressée.

Parfois, on se croyait assez fort pour tout supporter… Le corps en prenait un coup, on était épuisé et on finissait par craquer.

Adam comprenait, et pour cause. C'était ce qui lui était arrivé trop souvent.

Il ne pouvait la blâmer d'avoir cédé au sommeil. Lui-même avait dû réprimer un bâillement ou deux. Il aurait sans doute dû la réveiller, mais il aimait qu'elle soit aussi proche et il lui fallait beaucoup de volonté pour ne pas entourer ses épaules de son bras.

Evidemment, un lit aurait été bien plus confortable…

Idée très excitante.

Stop. Il ne devait même pas y penser ! Samantha était inaccessible !

Fini les fantasmes. Il baissa les yeux vers la tête de celle-ci. Le parfum suave de son shampoing lui faisait penser aux étés chez lui, aux journées qui n'en finissaient pas, au ciel bleu et à la glace qui fondait dans la baie.

Il aurait mieux fait d'évoquer les chauffeurs de taxis vendeurs de dindes !

Le problème, c'était que même cette vision décalée ne parvenait pas à le détourner de l'inévitable. Et l'inévitable était Samantha.

Pourquoi fallait-il toujours qu'il soit attiré par les femmes inaccessibles ?

C'était une faiblesse qu'il ne parvenait pas à combattre.

Il ne pouvait pas l'avoir, et pourtant elle lui inspirait un désir ardent qui l'effrayait presque. La dernière fois qu'il avait voulu une femme de cette façon, il était sorti brisé de l'aventure.

Et il s'était juré qu'on ne l'y reprendrait plus.

Qu'y avait-il en Samantha qui le poussait à revenir sur cette promesse qu'il s'était faite à lui-même ?

D'abord, elle possédait une force intérieure qu'il n'avait pas.

Ensuite, elle s'inquiétait à l'idée d'être une mauvaise mère. Même s'il ne l'avait pas vue avec son fils, il n'y croyait pas une seconde.

Sa propre mère avait été un bourreau de travail, mais elle avait toujours consacré du temps à ses enfants, même si elle devait parfois les quitter pour une urgence.

Evidemment, ils avaient aussi un père.

Samantha, elle, était seule.

Il ne comprenait pas pourquoi elle désirait tant être une infirmière des airs. Fermant les yeux, il tenta de ne plus entendre le moteur de son avion, de ne plus voir la neige qui recouvrait son pare-brise quand l'appareil avait piqué vers le sol.

Tâchant d'avaler la boule qui venait de se former dans sa gorge, George s'efforça de chasser ces souvenirs de son esprit. Il ne voulait plus qu'ils le hantent.

Voler lui manquait, pourtant.

Le Grand Nord lui manquait, tout comme sa communauté.

Sa famille lui manquait.

London n'était pas immense, mais suffisamment importante pour qu'il s'y sente mal à l'aise.

Lorsqu'il volait, il n'y avait que lui, l'avion, le ciel et les grands espaces. Il en rêvait souvent, mais cela se terminait toujours par le crash et sa rupture avec Cheryl.

Il y eut un cahot causé par un trou dans la chaussée. Samantha grogna tandis que sa tête retombait de l'autre côté. En voyant la marque laissée sur sa joue par sa chemise blanche d'uniforme, George rit intérieurement.

A son goût, cela ne l'empêchait pas d'être parfaite, mais il ne pouvait l'avoir, décidément. Bientôt, ils emprunteraient des chemins différents. Elle poursuivrait son rêve d'être pilote, et ce rêve la mènerait à l'aéroport de Thunder Bay.

Quant à lui, il travaillerait en ville. Au bout de six mois, il pouvait très bien être affecté ailleurs…

Quelle excuse pathétique ! Il se mentait à lui-même. S'il tenait tant à garder ses distances avec elle, c'était parce qu'il craignait de souffrir une nouvelle fois.

Leurs relations devaient rester purement professionnelles, un point c'est tout.

Elle battit des paupières.

— Où sommes-nous ?

— On est presque arrivés, lui souffla-t-il.

Elle se frotta les yeux.

— Il faut que je me réveille, parce que ensuite, je vais rentrer chez moi en bus.

— Pas dans cet état ! Je vais vous raccompagner.

Cette proposition était un peu trop personnelle, et il se la reprocha aussitôt.

Samantha se redressa un peu plus.

— Non, vraiment. Je ne peux pas vous demander une chose pareille…

— Bien sûr que si.

Un sourire aux lèvres, elle posa sa nuque sur l'appuie-tête.

— D'accord, alors.

Il allait tout droit à sa perte, et par sa propre faute, encore !

— Vous m'avez escortée jusqu'à chez moi quand j'étais à moitié endormie, alors le moins que je puisse faire, c'est de vous inviter à entrer pour utiliser mon téléphone.

— Il y a une cabine juste en face !

— C'est ridicule, voyons ! Entrez.

— Entendu, mais c'est juste pour passer un coup de fil.

Samantha lui jeta un coup d'œil étonné. Pour quelle autre raison serait-il entré chez elle ? Elle composa le code de la porte d'entrée et ils pénétrèrent dans le hall de l'immeuble.

Elle retint George, qui se dirigeait vers l'ascenseur.

— J'habite au rez-de-chaussée.

— Très pratique.

— Oui, c'est plutôt sympa.

Ce n'était pas la maison dont elle avait toujours rêvé, non. Celle-ci se trouvait à Thunder Bay. Mais elle disposait quand même d'une grande terrasse, ce qui lui permettait de faire des barbecues en été.

En franchissant le seuil de son appartement, elle marqua un temps d'arrêt en constatant que les lumières étaient allumées.

Adam sortit en courant de sa chambre.

— Maman !

— Qu'est-ce que tu fais à la maison ? Je te croyais chez Sherry !

— Elle a appelé mamie pour lui dire que tu étais coincée à Goderich. Alors mamie est passée me prendre et je suis là. C'est qui ? ajouta Adam en regardant derrière sa mère.

Zut ! Elle avait momentanément oublié la présence de George…

— Samantha ! Je suis contente que tu sois rentrée !

Joyce, la mère de Cameron, sortit de la salle de séjour et s'immobilisa à la vue de George.

— Désolée ! Je n'avais pas vu que tu avais de la compagnie.

Samantha grommela quelques paroles inaudibles.

— Je m'appelle George, je suis le partenaire de Samantha. Elle me supervise pendant mon stage et pour le moment, elle me permet d'utiliser son téléphone.

La mère de Cameron eut un sourire accueillant.

— Je suis ravie de faire votre connaissance, George.

Hochant la tête, ce dernier baissa les yeux vers le petit garçon.

— Tu dois être Adam… Ta maman dit le plus grand bien de toi. Où se trouve le téléphone ? ajouta-t-il à l'intention de Samantha.

— Dans la salle de séjour, lui répondit-elle en la lui montrant du doigt.

— Merci.

George passa près d'Adam et de Joyce pour se rendre dans la salle de séjour.

— Je suis désolée, murmura Samantha en caressant les cheveux de son fils, j'ignorais que vous seriez à la maison.

Joyce secoua la tête.

— De quoi t'excuses-tu ? Je vais vous laisser, maintenant.

Elle se pencha pour déposer un baiser sur la joue de son petit-fils, puis elle serra sa belle-fille dans ses bras.

— Merci beaucoup d'être passée le prendre, Joyce.

— C'est quand tu veux, ma chérie.

Après avoir refermé la porte derrière elle, Samantha laissa échapper un soupir de soulagement… Jusqu'à ce qu'elle entende des bruits de voix dans la salle de séjour. Elle tendit l'oreille. George et Adam semblaient en pleine discussion.

Ce n'était pas ainsi qu'elle maintiendrait des relations purement professionnelles avec son stagiaire…

En même temps, certains de ses collègues avaient eux aussi rencontré Adam. Sans doute, mais elle n'avait été attirée par aucun d'entre eux !

Sa belle-mère l'avait convaincue à deux reprises de sortir avec un homme, mais Adam n'avait jamais rencontré aucun d'eux. Elle ne souhaitait pas que son fils s'attache à quelqu'un qu'elle ne fréquenterait que peu de temps.

« Cameron n'aurait pas souhaité que tu restes seule pour toujours. Tu es trop jeune pour cela, Samantha, et Adam a besoin d'un père. »

Joyce avait prononcé ces paroles un an après la mort

de Cameron. Et elle avait raison. Un jour ou l'autre, il lui faudrait bien laisser le passé derrière elle.

Pourtant, elle ne parvenait pas à l'envisager. L'amour pouvait vous faire souffrir et elle ne voulait pas qu'Adam fasse cette expérience à cause d'elle.

Lorsqu'elle entra dans la salle de séjour, son fils avait branché sa console de jeux et montrait à George une sorte de guerre apocalyptique avec des zombies.

— Vous avez passé votre coup de fil ? lui demanda-t-elle.

Il se tourna vers elle.

— Oui, mais je n'aurai pas de taxi avant une vingtaine de minutes. Je peux attendre dehors.

— Non ! s'exclama Adam. Tu pourrais peut-être jouer avec moi ? ajouta-t-il avec espoir.

George consulta Samantha du regard.

— Bien sûr, dit-elle. Vous pouvez faire une partie.

Qu'aurait-elle pu dire d'autre ? « Fichez le camp ! » « Laissez mon fils tranquille ! »

— Tu es sûr que George en a envie ? demanda-t-elle plutôt à son fils.

— Apocalypse Zombie numéro 4 ? J'adore ce jeu ! affirma George en s'asseyant près d'Adam sur le canapé.

— Vous connaissez ce jeu ?

Haussant les épaules, George s'empara d'une manette.

— Bien sûr. On n'a pas grand-chose à faire, en hiver, et j'ai plusieurs de ces jeux. Fais gaffe à ce type, derrière toi !

Adam tira sur une créature qui émit un bruit horrible en explosant.

— Tu l'as eu ! Joli coup, Adam !

— Tu n'es pas trop mauvais non plus.

Samantha les regardait avec étonnement.

— Maman déteste ces jeux, remarqua Adam. Quand elle joue, elle se fait bouffer au bout d'une minute.

Tout en parlant, il continuait d'exterminer les zombies.

— Je suis certain qu'elle pourrait s'améliorer avec un peu de pratique, affirma George avec un sourire.

Adam et sa mère émirent en même temps un grogne-ment sceptique.

— Je n'ai pas la moindre envie de me battre contre des morts-vivants, dit-elle.

— Allons, Doxtator, c'est pour sauver le monde ! répliqua George en lui adressant un clin d'œil.

Un quart d'heure et bon nombre de zombies anéantis plus tard, George regarda sa montre.

— Désolé, mon pote, mais je vais m'en aller. Mon taxi ne devrait plus tarder, maintenant. Merci de m'avoir permis de jouer. Je n'en ai pas souvent l'occasion.

— T'es vraiment obligé de partir ?

— Oui, intervint Samantha. M. Atavik doit travailler demain.

— « M. Atavik » ? répéta George sur un ton moqueur.

— C'est votre nom.

— C'est celui de mon père. Moi, c'est George.

Se levant d'un bond, Adam colla son poing serré contre celui de George en guise de salut.

— J'espère que tu reviendras ! Je voudrais jouer à d'autres jeux avec toi.

— On s'est bien amusés, reconnut George sans rien promettre.

Les mots de Joyce résonnèrent dans la tête de Samantha. Ses craintes étaient ridicules !

— George pourrait peut-être revenir quand il aura un jour de congé, suggéra-t-elle.

Ce dernier lui jeta un regard surpris et se racla la gorge.

— Oui… Pourquoi pas ?

Elle le raccompagna jusqu'à la porte.

— Encore merci de m'avoir raccompagnée.

— Pas de problème. A demain.

Elle le suivit des yeux tandis qu'il traversait le hall et sortait de l'immeuble. Après avoir verrouillé la porte, elle rejoignit son fils dans la salle de séjour.

— Il est drôlement cool ! s'exclama-t-il.

— Vraiment ?

— Ouais ! J'espère qu'il reviendra.

— Il n'en aura peut-être pas le temps, tu sais.

Adam parut déçu.

— Ah ?

— Si tu allais te coucher, maintenant ? Il est tard.

— C'est obligé ?

— Oui.

Adam obéit, non sans quelques protestations. Lorsqu'il fut dans la salle de bains, Samantha laissa échapper un soupir de soulagement.

Elle devait cesser d'être aussi timorée. George pouvait être un ami et il pourrait en plus fournir à Adam un modèle masculin.

Du moins pendant un bref laps de temps...

7.

En sortant de la salle de cours, George aperçut Samantha. Assise à son bureau, elle était absorbée par un travail administratif. Comme si elle se sentait observée, elle leva les yeux vers lui et aussitôt le cœur de George se mit à battre plus vite.

Il avait beaucoup apprécié les instants passés en compagnie d'Adam et elle. Il aurait adoré s'attarder, mais il savait que c'était une mauvaise idée.

Plus il s'efforçait de garder ses distances avec elle, plus elle l'attirait. Il avait beau se répéter qu'elle était inaccessible, il ne pouvait pas s'empêcher de la désirer.

Il avait passé une très mauvaise nuit. Non seulement il avait été incapable de chasser Samantha de ses pensées, mais en plus il avait appris qu'un ami proche se mariait.

Il s'en réjouissait pour lui… tout en l'enviant.

Lorsqu'il avait demandé Cheryl en mariage, elle avait dit oui. Mais à peine avait-il eu le temps de s'en réjouir que c'était déjà fini. Il n'avait même pas eu le temps de lui offrir une bague de fiançailles.

Son avion s'était écrasé au sol et tous ses projets d'avenir avaient été anéantis.

Il n'avait plus été question de féliciter les heureux fiancés. En revanche, la sympathie qu'on lui avait témoignée avait eu le don de le mettre en colère.

Tout ce qu'il voulait, c'était rester seul pour rassembler les morceaux de son cœur brisé. Il détestait la compassion et il n'en voulait pas !

— Qu'est-ce qu'on a au programme, aujourd'hui ? demanda-t-il.

— Rien, pour l'instant. Vous pouvez en profiter pour préparer votre examen.

Il aurait dû s'éloigner, mais il resta planté devant elle.

— Parfait… Qu'est-ce que vous faites, ce week-end ?

— Pas grand-chose de spécial. Et vous ?

— Je vais sans doute passer deux jours à regarder des films de Clint Eastwood. Je n'ai aucune relation, ici.

Samantha se mordit la lèvre inférieure, semblant hésiter.

— Vous seriez d'accord pour dîner à la maison, samedi soir ?

La proposition le prit de court. Il aurait adoré accepter, mais ce n'était pas forcément très sage.

Peut-être avait-il mal entendu…

— Pardon ?

— Je sais… C'est moi qui vous supervise, tout ça, mais cela ne nous empêche pas d'être amis, non ?

Des amis… Oui ! Pourquoi pas ? Il pouvait être son ami, sans problème.

Et puis Samantha rejeta une mèche sombre derrière son oreille et il dut réprimer l'envie de tendre la main pour la toucher et vérifier si ses cheveux étaient aussi soyeux qu'ils en avaient l'air.

— Ça ne va pas à l'encontre du règlement, faites-moi confiance, insista-t-elle. Alors ? Vous acceptez mon invitation, oui ou non ?

Il savait qu'il aurait dû refuser, mais il en était incapable.

— Entendu. A quelle heure dois-je venir ?

— A 16 heures, ça vous va ?

— Vous avez des horaires de senior ! plaisanta-t-il.

Samantha leva les yeux au ciel.

— Nous ne prenons pas nos repas aussi tôt, mais je me suis dit que vous voudriez peut-être exterminer d'autres zombies.

— Ah, oui… J'apporte quelque chose ?

Samantha secoua la tête et prit son sac.

— Non. Juste vous-même.

George la regarda s'éloigner en direction des vestiaires. *Que venait-il de se passer au juste ?*

Un instant auparavant, il s'était convaincu de garder ses distances avec elle et d'adopter une attitude purement professionnelle et une fois de plus, il se retrouvait dans une situation qu'il n'avait pas voulue.

Il était faible, voilà tout !

Mais il pouvait y arriver, malgré tout.

Ils seraient amis, rien de plus, et il pourrait toujours passer un autre week-end chez lui, dans son petit appartement, à regarder encore et encore les mêmes films.

Après tout, il avait des tas d'amies femmes…

Faux ! Archifaux !

Ses sœurs étaient ses seules relations féminines !

Si sa grand-mère avait été en vie, elle lui aurait répété qu'il avait le droit de laisser Cheryl derrière lui. Elle lui aurait dit qu'il ne devait pas permettre aux fantômes du passé de hanter sa vie présente.

Et elle aurait eu raison.

Il prit le sac qui contenait ses livres et se dirigea à son tour vers les vestiaires. Il avait à peine fait trois pas quand les sirènes retentirent.

Immédiatement, Samantha revint en courant.

— On se bouge, Atavik ! cria-t-elle.

— Que se passe-t-il ?

— Un accident au nord de la ville. Pressons-nous !

Abandonnant son sac, George lui emboîta le pas.

Ses problèmes personnels pouvaient attendre. Pour l'instant, il avait une tâche à accomplir.

— Pas d'héroïsme inconsidéré, cette fois ! plaisanta Samantha en freinant.

Il lui adressa un clin d'œil.

— Je ne vous promets rien.

Samantha regarda dehors. L'accident paraissait moins

grave que celui qui s'était produit deux jours auparavant, quand George avait sauvé cette petite fille.

Elle jeta un coup d'œil au bras de celui-ci, qui n'était plus bandé. La peau brûlée était plus foncée et paraissait en voie de guérison.

Elle n'arrivait toujours pas à croire qu'il avait fait preuve d'un tel courage !

— Nous y sommes, dit-elle. On y va !

Une minute plus tard, ils ouvraient les portières arrière de l'ambulance et en sortaient un brancard. Ils se dirigèrent ensuite vers la première voiture accidentée. Les pompiers utilisaient leur engin hydraulique pour désincarcérer les victimes.

— Qu'est-ce qu'on a ? demanda Samantha.

— Une femme. L'airbag s'est déployé et elle a sa ceinture de sécurité. A notre arrivée, elle était évanouie, mais il semble qu'elle soit maintenant consciente.

Samantha s'approcha du côté où la portière avait été arrachée. Un pompier se tenait prêt à couper la ceinture de sécurité dès qu'elle aurait examiné la conductrice.

— Je m'appelle Samantha, madame. Vous m'entendez ?

— Quoi ? bredouilla la victime.

Se penchant vers elle, Samantha posa sa main gantée sur son front.

— Madame, pouvez-vous me dire votre nom ?

— Quoi ?

— Elle souffre certainement d'une commotion cérébrale. Passez-moi le collier cervical et la planche dorsale, George, nous allons la préparer pour le transport.

George prit ce qu'elle lui demandait sur le brancard, puis il se glissa à l'intérieur de la voiture, de l'autre côté de la patiente.

— On est prêts, lieutenant.

Le pompier avança d'un pas pour couper la ceinture. George et Samantha s'apprêtèrent à soulever la femme.

— Un, deux, trois.

Le pompier coupa la ceinture, la patiente poussa un cri

tandis que Samantha et George glissaient la planche sous elle et fixaient les sangles.

La femme gémit, mais ne protesta pas.

Un instant plus tard, ils fixaient la civière sur le brancard. Samantha se pencha sur elle et souleva délicatement ses paupières, puis elle braqua une torche sur ses yeux.

— Les pupilles sont réactives, mais l'une d'elles est dilatée.

— Quoi ? marmonna une fois de plus l'inconnue.

— Vous savez qui vous êtes, madame ?

La femme ne répondit pas, et ses yeux se révulsèrent.

— J'ai trouvé sa carte d'identité dans son sac, dit George.

— Parfait. On l'emmène à l'hôpital.

— Il y a une hémorragie… C'est peut-être une fracture du crâne avec enfoncement… Une embarrure.

— Allons-nous-en.

Après avoir installé la victime à l'arrière de l'ambulance, George posa la perfusion pendant que Samantha s'occupait du masque à oxygène. Quand le brancard fut arrimé et toutes les précautions prises, elle sauta hors du véhicule pour se glisser derrière le volant.

Elle brancha la sirène et le gyrophare.

— Accrochez-vous ! lança-t-elle avant de démarrer.

Assis près de la patiente, George surveillait sa pression artérielle sur l'écran.

— Comment va-t-elle ? demanda Samantha.

— Elle est stable, mais son Glasgow est à trois.

— On sera bientôt à l'hôpital.

Samantha se concentra sur sa conduite. Par bonheur, de nombreuses voitures s'écartèrent pour les laisser passer. Quelques minutes plus tard, ils s'arrêtaient devant les urgences. Samantha entra aussitôt en action et ils sortirent rapidement le brancard de l'ambulance. George fixa la poche de sérum et la bouteille d'oxygène, puis ils poussèrent la patiente à l'intérieur.

Un médecin urgentiste se porta aussitôt à leur rencontre.

— La patiente se nomme Irène Johnstone, annonça

George. Elle a cinquante-trois ans et elle se trouvait au volant de l'une des deux voitures impliquées dans la collision. L'airbag s'est déployé.

Ils poussèrent le brancard dans un box et Samantha enchaîna :

— La pupille gauche est dilatée et son Glasgow est à trois.

— Je veux une radio portable. Tout de suite ! cria le médecin.

Samantha tendit son rapport à une infirmière pendant que George aidait les autres à soulever la patiente pour la poser sur un lit d'hôpital. Ils attendirent que le médecin retire la planche et le collier cervical.

Dès que ce fut fait, ils poussèrent leur brancard hors du box et gagnèrent la sortie.

— C'est le transfert le plus rapide que j'aie jamais vu, remarqua George.

— Tout va plus vite quand on n'est pas obligé d'attendre un avion.

— Exact… Encore que j'ai pu constater que les événements s'accéléraient diablement, quand on effectue un transport aérien.

Samantha lui jeta un rapide coup d'œil. Elle n'allait pas le harceler pour en savoir plus sur son expérience de pilote.

— Ah bon ?

— Quand l'hôpital le plus proche n'est accessible que par les airs et que la vie du patient est menacée, oui.

Ils ouvrirent les portières de l'ambulance et soulevèrent le brancard.

Samantha aurait vraiment voulu savoir ce qu'il lui était arrivé, mais cela ne la regardait pas.

— Vous savez que la fête de la Reine[1] tombe ce week-end ? demanda-t-elle pour changer de sujet.

Le rouge lui monta aux joues car c'était sans doute la question la plus stupide qu'elle pouvait poser.

— Ah bon ? fit George en fronçant les sourcils. J'avais

---

1. La fête de la Reine est un jour férié au Canada.

complètement oublié. Vous voulez remettre le dîner à plus tard ?

— Pas du tout, mais je viens juste de me rappeler que c'est un week-end prolongé. Cela ne nous concerne pas vraiment, bien sûr, puisque nous sommes de service lundi soir.

A cet instant, il y eut un appel radio.

— Doxtator, annonça-t-elle dans le micro, ambulance 3326.

— Bien reçu. On vous attend à l'hôpital, bâtiment E. Vous avez un patient à emmener à Stradford.

— Bien reçu, on y va, répondit Samantha avant de raccrocher.

Se tournant vers George, elle expliqua :

— Comme nous sommes déjà sur place, on nous demande de transférer un patient à Stradford.

— C'est loin ?

— A environ une heure de route.

George hocha la tête.

— C'est ce que j'apprécie, quand on travaille à terre. Je peux m'asseoir tranquillement et jouir du paysage.

— Vous pourriez conduire, Atavik. Il faudra bien que vous vous y mettiez un jour.

— Je peux ? Vous êtes sûre ?

— Absolument. Il s'agit d'un simple transfert de patient.

— D'accord.

Un instant plus tard, George se glissait derrière le volant et Samantha s'installait sur le siège passager.

— N'oubliez pas de brancher le gyrophare, lui rappela-t-elle lorsqu'il démarra.

George obtempéra aussitôt.

— Indiquez-moi le chemin, patronne, plaisanta-t-il.

— Prenez la première à droite, ensuite on se dirigera vers le bâtiment E.

— Très bien.

George conduisait très bien et il était clair qu'il n'avait pas vraiment besoin de cette formation. Il lui fallait seulement la certification et Samantha avait le sentiment de travailler avec un égal, non pas un simple stagiaire.

Elle aimait bien bavarder avec lui, même si ce n'était qu'à propos de leur métier. Elle prenait conscience que les conversations entre adultes lui manquaient.

Elle avait oublié combien elle était seule.

8.

Elle avait omis de lui demander ce qu'il aimait manger…

Samantha secoua la tête, pas très contente d'elle-même. Dans la mesure où elle avait invité George à un barbecue, elle n'avait pourtant aucune raison de se faire du souci !

En outre, il s'agissait seulement d'un dîner entre amis… Entre collègues.

Sauf que lorsqu'elle regardait ses autres collègues, elle ne ressentait pas l'émotion qu'elle éprouvait chaque fois qu'elle voyait George !

Mais non, ce n'était qu'une relation amicale, rien de plus… Si elle se le répétait assez souvent, elle finirait bien par s'en convaincre !

D'un autre côté, Cameron avait d'abord été son meilleur ami.

Elle jeta un coup d'œil à son fils qui sautait de joie à l'idée de revoir George. Il ne ressemblait pas énormément à son père. Il avait hérité d'elle ses cheveux sombres et sa peau mate. En revanche, il avait le sourire et les fossettes de Cameron.

Elle fut arrachée à ses pensées par la sonnerie de l'Interphone. Elle prit une profonde inspiration, et décrocha le combiné fixé au mur.

— Allô ?

— C'est George.

— Entrez, dit-elle en actionnant l'ouverture de la porte.

— Ouais ! hurla Adam en caracolant dans l'appartement.

Cet enthousiasme fit sourire sa mère.

— Il n'aura peut-être pas envie que tu l'accapares. Je sais qu'il apprécie les jeux vidéo, mais…

— J'suis au courant que c'est une grande personne ! répliqua Adam en haussant les épaules. Ça va quand même être super cool !

Quand George frappa à la porte de l'appartement, Adam courut lui ouvrir.

— Salut, George !

— Salut, Adam. Tu as chauffé les manettes pour moi ?

— Seigneur ! s'exclama Samantha en levant les yeux au ciel.

Lorsqu'il rentra, elle retint son souffle…

Il avait échangé son uniforme contre un jean marron, un pull bleu au col en V sur une chemise blanche et une veste en daim. Adam jacassait et George lui souriait, semblant sincèrement intéressé par ce que son fils lui disait.

Il tenait à la main un sac de papier portant le logo d'un caviste.

— J'avais cru comprendre que vous ne buviez pas d'alcool, dit-elle en le lui prenant des mains.

— C'est exact, mais ma grand-mère disait toujours que lorsqu'on est invité pour la première fois chez quelqu'un, il faut apporter quelque chose. Ce n'est qu'une bouteille de vin.

Adam, que le sujet n'intéressait pas, les quitta pour courir dans la salle de séjour.

George retira sa veste que Samantha prit de sa main libre.

— Merci beaucoup, en tout cas, lui dit-elle. Adam vous attendait avec impatience.

— Je vais le rejoindre dans un instant. Je peux vous aider ?

Samantha suspendit la veste dans un placard, puis elle précéda George dans la cuisine et posa la bouteille de vin blanc sur la table.

— Je ne crois pas que ce sera nécessaire. Vous aimez les steaks ?

— Bien sûr !

— Tant mieux. J'avais oublié de vous demander vos préférences.

66

— J'adore la viande ! Il n'y a que le kiwi auquel je suis allergique.

— C'est dommage, parce que mes steaks en sont tartinés, plaisanta-t-elle. Rejoignez donc Adam dans la salle de séjour pendant que j'allume le gril.

— Cela ne vous ennuie pas, si je m'en charge ?

— Mais vous êtes mon invité !

— Je n'ai pas de barbecue, à London, et pour la fête de la Reine, c'est une sorte de tradition familiale.

— Et Adam ?

— Il peut s'en occuper avec moi dehors, dit George en gagnant la salle de séjour. Adam, je vais faire cuire la viande de ta maman. Tu veux bien m'aider ?

Samantha s'attendait à ce que son fils soit déçu, mais Adam accepta la proposition avec enthousiasme.

— On dirait que c'est d'accord, dit George en revenant vers elle. Où est votre briquet ?

Tendant la main vers un tiroir, elle en sortit un petit briquet rouge.

— Vous n'avez pas à faire ça, vous savez ?

— Ne vous inquiétez pas. Pour une fois, je n'aurai pas mes sœurs sur le dos, à me houspiller pour que je ne fasse pas brûler la nourriture.

Samantha fit la grimace.

— Ne me dites pas que cela vous arrive !

Il lui adressa un clin d'œil.

— Bien sûr que non. Adam ! Montre-moi où se trouve le barbecue, s'il te plaît.

— Sur la terrasse.

Joignant le geste à la parole, Adam fit coulisser les portes-fenêtres. Samantha les suivit des yeux, étonnée que son fils se montre aussi familier avec George. D'une certaine façon elle pouvait le comprendre, car George se comportait lui-même comme un grand enfant, avec Adam. Cette pensée l'effraya un peu… Elle ne voulait pas que son fils soit blessé.

Après avoir allumé le feu, George rejoignit Adam sur la pelouse et se mit à jouer au ballon avec lui.

Samantha sourit, heureuse du bonheur de son fils.

La situation était problématique, mais pour l'instant, elle ne savait pas trop si elle voulait ou non prendre ses jambes à son cou.

Un peu plus tard, pendant que George faisait griller la viande, Samantha mit la table sur la terrasse.

Adam était absolument ravi.

— On mange jamais dehors ! Super cool !

— Jamais ? répéta George en riant. C'est une honte ! On est tranquilles, ici, sans risque qu'un ours polaire vienne nous dévorer.

Adam écarquilla les yeux.

— C'est possible ?

— Chez moi, oui ! Il faut être prudent, mais rassure-toi : ma ville natale est relativement importante et ils s'y aventurent rarement.

— Ben ça alors !

— Je n'ai jamais envisagé que les ours pouvaient présenter un problème quotidien, remarqua Samantha

— Ce n'est pas vraiment le cas, en fait, mais dès notre plus jeune âge, on nous met en garde à leur propos. Là-bas, c'est « manger ou être mangé », précisa George avec un petit rire.

— Qu'y a-t-il de si drôle ?

— C'est exactement ce que ma sœur Charlotte a dit à son mari, lorsqu'elle a abordé cette question avec lui. Si vous lui parlez des ours polaires, il devient vert.

— Tu en as vu de près ? lui demanda Adam, visiblement impressionné.

— Bien sûr, affirma George comme si cela lui était arrivé tous les jours, mais j'ai un gros fusil.

— Waouh ! Où est-ce que tu habites ?

— Ici, à London, plaisanta George.

Samantha éclata de rire et Adam leva les yeux au ciel.

— Je veux dire : où est-ce que tu vivais quand tu étais petit ?

— A Cape Recluse, dans le Nunavut. C'est près du parc national.

— Cool ! dit Adam.

Samantha échangea un regard complice avec George, et son cœur se mit aussitôt à battre la chamade.

— Qu'est-ce que tu as autour du cou ? demanda Adam en s'approchant de George. On dirait un ours.

— C'en est un, en effet. C'est mon totem. Quel est le tien ?

— Je n'en ai pas, répliqua le garçon avec un haussement d'épaules.

— Eh bien… Ton guide spirituel se manifestera peut-être bientôt et tu connaîtras ton totem.

Curieuse, Samantha fit à son tour quelques pas en direction de George. Un ours blanc sculpté dans une matière inconnue était suspendu à une lanière de cuir autour de son cou.

Les ours symbolisaient la force, la confiance, mais aussi la guérison. Cela faisait longtemps qu'elle n'avait pas pensé à son propre héritage ; l'éducation prodiguée par sa mère n'y avait jamais fait allusion. Avec le recul, cela pouvait sembler étrange puisqu'elle appartenait à la nation ojibwa et avait grandi tout près de la réserve.

En réalité, la mère de Samantha avait élevé ses enfants de la même façon que leur père, son mari, l'avait été. Plus jeune, Samantha aurait voulu en savoir davantage sur la culture ojibwa, puis elle avait rencontré Cameron et ils avaient fait leurs études pour être infirmiers. En chemin, elle avait oublié ses bonnes résolutions initiales.

Son fils en savait fort peu sur ses origines et elle s'en voulait de l'avoir si peu informé à ce sujet. C'était peut-être pour cela qu'il se montrait si familier envers George. Parce qu'il reconnaissait en lui ce quelque chose de particulier, sans pouvoir l'identifier.

L'école d'Adam accueillait une population multiculturelle,

mais quand on était le seul représentant des Premières Nations, on s'intéressait forcément à son héritage.

En s'installant à Thunder Bay, ils allaient du même coup se rapprocher du reste de la famille et Adam en saurait davantage sur les traditions de son peuple du côté maternel. Il pourrait en outre jouer avec ses cousins et cousines, puisque deux des sœurs de Samantha et sa mère habitaient là-bas.

— C'est très beau, dit-elle après avoir examiné le bijou. C'est fait en quoi ?

— En fanon de baleine. Ma grand-mère l'a sculpté quand je suis né.

L'air songeur, George effleura l'objet du bout des doigts. Il avait l'expression d'un homme qui évoque ce qu'il a perdu.

— Vous ne m'avez jamais dit son nom.

— Anernerk Kamut.

Samantha écarquilla les yeux.

— J'ai entendu parler d'elle ! C'est une artiste inuit connue… Je n'aurais jamais imaginé que vous étiez son petit-fils.

— L'un de ses nombreux petits-fils, rectifia George en riant. Elle a eu quinze enfants.

— Eh bien ! Cape Recluse doit être essentiellement peuplée par votre famille !

— Nous n'y vivons pas tous, précisa George en se concentrant sur les steaks. Ils sont presque prêts… Vous auriez un plat à me donner ?

— Bien sûr. Adam, va vite nous chercher une grande assiette.

— D'accord, marmonna celui-ci, avant de rentrer dans la maison en traînant les pieds.

— Je vais m'occuper des légumes, annonça Samantha. J'espère que vous aimez les pommes de terre et la salade !

— J'adore ! affirma George en se tournant vers le gril.

Quand Samantha apporta le saladier et un pichet de thé glacé, George était en train de distribuer les steaks et Adam était déjà assis devant la table, son couteau et sa fourchette à la main.

— On dirait que vous avez là un petit animal affamé, remarqua George.

— Et qui a oublié les bonnes manières, compléta Samantha.

Adam rougit et posa ses couverts. George et Samantha s'assirent à leur tour et elle servit la salade.

— Ça semble succulent, dit George. Merci de m'avoir invité, Samantha, cela faisait longtemps que je n'avais pas dégusté un repas fait maison.

— De rien, fit-elle.

Rougissante, elle versa du thé dans les verres.

— Il y aura peut-être des feux d'artifice, ce soir ! s'exclama Adam.

Les yeux de George étincelèrent.

— C'est une coutume, chez vous, pour la fête de la Reine ?

— Il y en a quelquefois, oui, expliqua Adam. D'habitude, maman travaille, ce jour-là. Heureusement, papi et mamie m'emmènent les voir au parc.

— Vos beaux-parents seront tristes, quand vous allez migrer vers le nord, remarqua George. Ma grand-mère a beaucoup souffert du départ de mes oncles et tantes.

— Je reconnais que ce sera un peu dur, répondit Samantha, mais ils comprennent ma décision. C'était notre projet, à Cameron et à moi. Il aimait le Nord tout autant que moi.

— Vous pourrez toujours vous parler et vous voir via la webcam, suggéra George.

— C'est ce que vous faites avec votre famille ?

— Je suis bien obligé, sinon mes sœurs me tueraient !

Samantha se mit à rire.

— Je bavarde régulièrement avec mes sœurs qui vivent à Thunder Bay.

— Vous avez de la famille là-bas ?

— Oui, sans quoi j'hésiterais un peu à m'y installer.

La conversation se poursuivit d'une manière agréable. Après le dîner, Adam débarrassa la table — sous la menace d'être privé d'argent de poche s'il ne le faisait pas, il faut le préciser… George et Samantha restèrent quant à eux assis à contempler le coucher du soleil.

— Adam ne s'est même pas plaint que vous n'ayez pas fait une partie avec lui sur sa console, constata Samantha.

— On a tous besoin de s'éloigner un peu des ordinateurs, de temps en temps. Encore merci de m'avoir invité.

— C'était un plaisir. De toute façon, j'aurais été triste de vous savoir seul.

— Je ne me plains pas, reprit aussitôt George, visiblement mal à l'aise. Je déteste qu'on me prenne en pitié et je ne suis pas très sociable, de toute façon.

— J'ai du mal à vous croire. Dès votre premier jour de travail, vous vous êtes fait des tas d'amis parmi le personnel médical d'urgence.

— Se montrer amical et avoir des amis sont deux choses différentes. Je n'ai que deux vrais amis, et ils appartiennent à ma famille. Je dois être bizarre.

— Je ne le pense pas.

— Ah bon ? Et si je vous parlais de mon amour inconditionnel pour Clint Eastwood ?

— Un amour inconditionnel ? Oui, là, j'avoue que c'est un peu bizarre.

— Le terme « amour » est peut-être un peu fort, nuança George. Mais j'aime tous ses films, surtout les westerns.

— A ce point ? Vous n'êtes pourtant pas du genre à apprécier un type comme l'inspecteur Harry, je me trompe ?

— C'est un policier, pas un cow-boy.

— De toute façon, je préfère John Wayne.

— Voilà qui me surprend beaucoup ! Vous êtes une fan de John Wayne ?

— Ce serait exagéré de le prétendre, mais je préfère les films où il a joué à ceux de Clint Eastwood. Mais j'adore surtout les comédies musicales, comme *Oklahoma*.

George fronça le nez.

— En ce cas, vous avez dû aimer *La Kermesse de l'Ouest*. Clint Eastwood faisait partie de la distribution.

Samantha but une gorgée de thé glacé.

— Je n'en ai jamais entendu parler. Il faudra qu'on le voie ensemble un de ces jours.

Elle se mordit la lèvre inférieure… *Qu'est-ce qu'elle racontait ?*

— Marché conclu ! dit George.

— Pas si vite ! Si vous voulez que je voie une comédie musicale à laquelle Clint Eastwood a participé, vous devrez en voir une que j'aurai choisie.

— Quelle torture ! s'exclama George en levant les yeux au ciel.

— C'est à prendre ou à laisser.

— Je prends, fit George avec une moue faussement maussade. En tout cas, ajouta-t-il avec un sourire, je passe vraiment une bonne soirée et j'aimerais assez voir ces feux d'artifice.

— Je vous rappelle que nous sommes de garde lundi soir. Si tout va bien, nous pourrons peut-être en voir quelques-uns.

— Je l'espère.

Samantha hocha la tête. Si on ne les appelait pas, cela voudrait dire que personne n'avait été malade ou blessé.

Il y eut un bref silence qui fut rompu par George.

— Si j'ai bien compris, vous avez entendu parler de ma grand-mère ? Quelle coïncidence étrange ! Elle est justement la seule artiste inuit que vous connaissez.

— En fait, mon père possédait plusieurs objets qu'elle a fabriqués. Il a passé quelque temps dans le Nunavut quand il faisait encore partie des Territoires du Nord-Ouest et qu'Iqaluit s'appelait Frobisher Bay.

— Vraiment ?

— Il appartenait à la gendarmerie royale du Canada.

George émit un sifflement.

— Impressionnant ! Comment vos parents se sont-ils rencontrés ?

— Ma mère était garde-frontière sur l'unique petit ferry qui sillonnait la baie.

— Un sacré hasard, là aussi !

Elle le dévisagea un instant.

— Est-ce que les rencontres ne sont pas toujours le fruit du hasard ? Regardez-nous, par exemple. Quelles chances y avait-il que nos chemins se croisent ?

— C'est vrai… Comment avez-vous connu votre mari ?

Samantha laissa échapper un soupir.

— Par des amis communs qui commençaient à sortir ensemble. Encore le hasard !

— Ou le destin, rectifia George.

— Je ne suis pas sûre de croire en la destinée.

— Dommage… Vos amis sont toujours ensemble ?

— Non. Et vous ?

— Quoi, moi ?

— Vous n'avez pas fait de rencontre importante ?

Le visage de George se durcit.

— J'ai été fiancé une fois…

— Que s'est-il passé ?

— Cela n'a pas marché.

George se détourna un instant.

— Comme je vous le disais, je n'aime pas qu'on me prenne en pitié.

— Ce n'est pas ce que je fais.

Leurs regards se croisèrent et restèrent soudés l'un à l'autre. La nuit tombait mais malgré la pénombre, Samantha pouvait voir que les yeux de George étincelaient. Son cœur battit plus vite lorsqu'il se pencha vers elle par-dessus la table. Elle faillit en faire autant, mais se retint de justesse. Elle mourait d'envie qu'il l'embrasse.

A cet instant, il y eut un bruit d'explosion, suivi d'un sifflement plaintif.

— Des feux d'artifice, constata George sans cesser de la fixer.

— Quoi ?

Adam sortit en courant de la maison.

— J'ai entendu les feux d'artifice ! Ouais ! dit-il en frappant dans la main de George

Il s'assit à leurs pieds et leva les yeux vers le ciel.

— Je croyais que c'était interdit dans les jardins privés, dit George.

— C'est permis ce soir, après la tombée de la nuit.

Adam se tourna vers eux.

— C'est super !

Samantha et George échangèrent un sourire qui réchauffa le cœur de celle-ci. Sans répondre, elle passa les doigts dans les cheveux de son fils et songea que oui, c'était vraiment super.

9.

Quand George rentra chez lui, l'appartement lui sembla désert. C'était la même chose à Cape Recluse, mais cela ne l'avait pas gêné.

Jusqu'à maintenant.

Ce soir-là, il prenait conscience de sa solitude.

Il aurait vraiment pu vivre avec une femme comme Samantha… Sauf qu'il n'était pas certain de pouvoir s'abandonner une nouvelle fois.

Mais quelle tête de mule!

La voix de sa grand-mère résonna dans sa tête. Elle le traitait souvent de tête de mule…

Poussant un gros soupir, il retira sa veste et la jeta sur la chaise la plus proche, puis il s'approcha du futon qui lui servait à la fois de canapé et de lit.

Une fois assis, il fixa l'écran éteint de la télévision.

Il était prêt à aimer de nouveau, il le sentait.

Mais Samantha lui avait fait clairement comprendre qu'elle ne voyait en lui qu'un ami potentiel.

Rien de plus.

Il ne la blâmait pas de ne pas vouloir s'engager envers un homme. Elle avait un enfant. Un gosse formidable, un peu obsédé par les zombies.

George sourit au souvenir de la partie qu'il avait jouée avec Adam après les feux d'artifice. Il était resté chez Samantha jusqu'au coucher du petit garçon.

Quand elle lui avait dit au revoir, il avait lutté contre son envie de la prendre dans ses bras. Il aurait voulu plonger les doigts dans cette chevelure d'ébène et presser sa bouche contre ces lèvres si douces. Il la désirait, il pensait constamment à elle et cela le tourmentait parce qu'elle ne serait *jamais* à lui.

Il devinait pourtant qu'elle avait un faible pour lui, mais aussi qu'elle n'était pas du genre à avoir une liaison de courte durée.

Elle devait d'abord penser à son fils. Il le comprenait et il la respectait pour cela. D'autant qu'il ne pouvait rien promettre. Dans l'état où était son cœur, comment aurait-il pu faire la moindre promesse ?

Il s'apprêtait à regarder un film de Clint Eastwood, quand le téléphone sonna, ce qui le surprit.

— Allô ?

— Salut, George, c'est Samantha à l'appareil.

— Samantha ? J'ai oublié quelque chose chez vous ?

— Non, non… Je me demandais… Je me demandais si cela vous plairait d'aller à la plage avec Adam et moi, demain. Il paraît qu'il va faire très beau.

Il *devait* refuser… Seulement, il en était bien incapable !

— Bien sûr. Je ne suis attendu nulle part.

— Formidable ! Adam tenait à ce que je vous invite.

— C'est une idée de votre fils ?

— Euh… Oui.

George ne put s'empêcher de sourire, tant elle semblait nerveuse.

— Très bien. A quelle heure dois-je passer chez vous ?

— C'est nous qui viendrons vous chercher en voiture vers 10 heures. On aura un pique-nique.

— Je prends mon maillot de bain ? plaisanta-t-il.

— Il ne fait pas assez chaud, lui répliqua-t-elle en riant, mais après tout, si ça vous chante, pourquoi pas ?

— Je vous attends pour 10 heures, alors.

Il lui indiqua son adresse et promit d'être devant l'immeuble à l'heure dite. Ils se dirent au revoir et raccrochèrent.

George se frotta le visage des deux mains. *Que venait-il de se passer ?* Il s'était juré de ne pas la courtiser… Mais tel un papillon fasciné par une flamme, il était attiré par elle et il souhaitait passer du temps avec elle.

Ils étaient amis, rien de plus.

Et des amis pouvaient bien aller ensemble à la plage… En compagnie de Samantha, il oubliait son chagrin. Auprès d'elle, il ne pensait plus à Cheryl ou à l'accident.

Elle l'obsédait, il n'y avait pas d'autre mot. Il devait se contrôler, c'était vital, mais en serait-il seulement capable ?

L'espace d'un instant, il songea à la rappeler pour annuler la sortie. Mais comment aurait-il pu décevoir Adam ou le blesser ?

Décidant qu'une bonne douche froide lui éclaircirait les idées, il se déshabilla. Une fois dans la cabine de douche, il tourna le robinet et offrit son visage à l'eau glacée.

Mais en dépit de tous ses efforts, il ne parvint pas à chasser Samantha de son esprit ou à réprimer le désir qu'elle lui inspirait.

Il était épuisé.

Etouffant un bâillement, George franchit la porte de son immeuble. Il s'était tourné et retourné dans son lit toute la nuit, pensant à Cheryl et au mal qu'elle lui avait fait.

Comme toujours, il en était arrivé à la conclusion qu'il s'en tiendrait à une relation amicale avec Samantha. Il ne lui restait donc qu'à maîtriser ses émotions et réprimer son attirance pour elle, mais cela n'allait pas être facile.

De toute façon, il était impensable qu'il tombe amoureux d'une future pilote !

Les yeux braqués vers le ciel, il ne cesserait pas de s'inquiéter pour elle.

Evidemment, toutes ses bonnes intentions s'évaporèrent dès que le monospace à la carrosserie argentée s'arrêta devant son immeuble.

— Je croyais que ce genre de véhicule était réservé aux mamans de footballeurs, plaisanta-t-il.

— Je suis contente de l'avoir, surtout si je dois déménager

dans le Nord. Je pourrai y entasser pas mal de choses, lui répondit Samantha.

Il sourit. Il aimait bien sa façon de réfléchir, si semblable à la sienne… Mais non ! Il ne devait pas se laisser entraîner dans ce genre de délire !

Il fit ce qu'il put pour freiner ses mauvais instincts, ceux qui l'incitaient à laisser libre cours à son désir. Mais elle était diablement belle et détendue, avec ses cheveux laissés libres sur les épaules !

Le combat allait être rude, et il devinait qu'il était vaincu d'avance. S'il avait eu le moindre bon sens, il aurait tourné les talons et pris ses jambes à son cou.

Mais il ouvrit la portière et s'installa auprès d'elle.

— Salut, Adam.

Assis à l'arrière, le petit garçon était concentré sur sa console de jeux.

— Salut, répondit celui-ci sans lever les yeux.

— Vous êtes certaine que c'est Adam qui a eu l'idée de m'inviter ? plaisanta-t-il.

— Bien sûr, mais il déteste les longs trajets en voiture, surtout si on traverse la ville. Il nous faudrait une rocade.

— Je suis d'accord. Hier, la circulation était vraiment dense.

— Au moins, ce n'est pas aussi terrible qu'à Toronto.

— Je n'y suis jamais allé. Trop de gens, précisa George avec un frisson.

— La foule vous perturbe tant que cela ?

— Un peu, en tout cas. Je n'irais pas jusqu'à dire que cela me met mal à l'aise, mais je ne suis pas habitué à côtoyer autant de gens.

— Vous n'allez peut-être pas apprécier Grand Bend, alors.

— Pourquoi dites-vous cela ?

— En été ou à l'occasion des week-ends prolongés, il y a beaucoup de monde, mais c'est un endroit très agréable.

George se tourna vers la fenêtre. S'il se focalisait sur le paysage, il parviendrait peut-être à combattre son envie de la toucher.

Au nord de London, il y avait beaucoup de terres culti-vées. Les jeunes pousses pointaient leur nez hors de terre. Il n'était pas accoutumé à ces étendues de champs parce que dans le Nunavut, le sol ne se prêtait pas à des cultures aussi intensives.

Au bout d'environ une heure, ils empruntèrent la route 21 et les champs firent place à des forêts de hauts pins qui croissaient au bord du lac Huron. Le panorama était splendide, mais la circulation très dense vous dissuadait d'envisager une promenade en voiture à travers les bois.

— Il y a du monde ! constata Samantha.

— En effet.

— Je suis désolée, dit-elle en s'engageant dans le parking de la plage.

— De quoi vous excusez-vous ? C'est vous qui avez convoqué tous ces gens ici ?

Un rose délicat lui monta aux joues.

— Non, bien sûr. C'est seulement plus sympa quand il n'y a personne.

— Vous voulez dire en hiver ?

Ils se mirent à rire… Il était si facile de s'amuser avec elle !

Samantha trouva une place et ils sortirent de la voiture. George prit les chaises de toile, Samantha le panier du pique-nique et Adam le parasol.

Le sable ne tarda pas à rentrer dans les baskets de George.

— Vous devriez mettre des tongs, remarqua Samantha.

— Des quoi ?

— Vous savez ? Des sandales de plage.

— Il est rare qu'on en ait besoin dans le Nunavut.

De nouveau, ils échangèrent un regard complice.

Ils trouvèrent un coin à l'ombre de grands arbres. George ouvrit les chaises pendant que Samantha déployait le parasol et qu'Adam étendait une couverture par terre.

Une brise légère venait du lac, atténuant la brûlure du soleil. Une fois assis, George regarda à droite et à gauche. La plage était bondée et de nombreux jeunes gens jouaient au volley-ball.

— Maman, je peux lancer mon cerf-volant ? demanda Adam.

— Oui, mais tu restes dans mon champ de vision.

Adam acquiesça et courut vers l'eau, son cerf-volant à la main.

— J'adore être ici, fit Samantha.

— Je comprends pourquoi. L'eau et le sable forment un ensemble très attractif… Vous croyez qu'elle est froide ?

— Oui, mais après tout, si vous plongez, vous vous sentirez chez vous.

Elle eut une moue malicieuse qui réchauffa le cœur de George.

Bon sang !

La manière dont ses bonnes résolutions s'éloignaient à tire d'ailes était proprement effrayante ! Pourtant, l'avenir était trop incertain pour qu'il puisse envisager une relation durable.

— Pourquoi appréciez-vous autant cette plage ? lui demanda-t-il. Il y en a bien d'autres, en Ontario.

Samantha haussa les épaules.

— Je me suis mariée pas loin d'ici.

George perçut de la tristesse dans sa voix.

Mais au moins, son mari l'avait aimée jusqu'à la fin. On pouvait considérer cela comme une chance…

— Comment est-il mort ?

Il y eut un bref silence.

— D'une tumeur cérébrale.

— Je suis désolé.

— Merci, dit-elle avec un sourire timide. On ne pouvait rien faire car elle était inopérable. Adam était encore bébé.

George jeta un coup d'œil au petit garçon qui courait sur la plage et son cœur se serra. Il était navré qu'Adam n'ait pas connu son père ou que son père n'ait pas su quel fils formidable il avait.

— Cela n'attise pas votre chagrin, quand vous revenez ici ? demanda-t-il.

Lui-même n'avait pas été capable de revenir dans les

endroits qu'il avait fréquentés avec Cheryl, là où ils avaient ri ensemble ou s'étaient aimés. Ces lieux lui rappelaient seulement combien il avait été stupide.

Laissant échapper un soupir, Samantha repoussa une mèche de cheveux derrière son oreille.

— C'était dur au début, mais plus maintenant. Ça m'aide à avancer, au contraire.

— Pour quelle raison ?

— Je n'en sais rien, peut-être parce que cette plage me le rappelle. Partout où je vais, il est avec moi, et si j'évoque les moments heureux, j'ai un peu moins de chagrin. Vous comprenez ?

George ne comprenait pas, non, parce qu'il éprouvait une douleur à la fois très proche et très différente de la sienne. Ils avaient tous les deux eu le cœur brisé à un moment de leur vie, mais celui de Samantha était resté pur alors que le sien était rempli d'amertume.

— Cameron adorait cette plage, précisa Samantha avec un soupir, alors moi aussi.

George réprima l'envie de l'attirer dans ses bras.

— Et puisque nous abordons ce sujet, continua-t-elle, où est votre plage préférée, si vous en avez une ?

— Au Mexique.

Cette affirmation fantaisiste les fit rire tous les deux. En sa compagnie, il se sentait bien… Presque heureux. Il oubliait le crash et tout ce qu'il avait perdu.

Adam passa près d'eux en courant.

— Eh, George ! cria-t-il. Tu veux bien jouer avec moi ?

George leva les yeux vers le cerf-volant multicolore qui dansait dans le vent.

— Allez-y, lui dit Samantha. Je vois bien que vous en mourez d'envie.

— D'accord, mais je vais devoir me déchausser.

Une minute plus tard, George courait rejoindre Adam. Il était content de s'éloigner de Samantha. Plus il apprenait à la connaître, plus il risquait de tomber amoureux.

Et ce n'était pas ce qu'il voulait.

Samantha essaya de se concentrer sur son livre, mais ses yeux revenaient sans cesse à George et Adam qui caracolaient sur la plage. Cette vision emplissait son cœur d'allégresse. Elle n'avait pas vu son fils aussi insouciant et heureux depuis longtemps.

D'habitude, lorsqu'ils venaient à la plage, il s'amusait avec son cerf-volant pendant une petite vingtaine de minutes. Ensuite, il se plaignait de la chaleur ou de la fatigue et voulait rentrer à la maison.

Samantha jeta un coup d'œil à sa montre. George et lui jouaient depuis *une heure* déjà et Adam ne montait aucun signe de lassitude.

George avait une bonne influence sur lui.

Bon sang !

Pourquoi fallait-il qu'il soit le seul homme qu'elle ne pouvait avoir ?

D'un autre côté, en quoi était-ce si impossible ?

Cette question la prit par surprise. Pourquoi, en effet ? Bientôt, elle ne le superviserait plus et rien ne la retiendrait.

Alors, où était l'obstacle ?

La question de son déménagement n'avait rien à voir. Ce n'était qu'une bonne excuse qu'elle se donnait.

Soupirant de nouveau, Samantha posa son livre près d'elle.

Elle n'avait pas le temps d'avoir une liaison. Tomber amoureuse de George ne rentrait pas dans ses plans… Mais depuis quand la vie se conformait-elle à vos plans ?

Si cela avait été le cas, elle serait encore avec Cameron.

Lorsqu'elle avait rencontré son mari, sa mère avait tenté de les séparer, puis elle avait voulu convaincre sa fille de se focaliser sur ses études, mais l'avait-elle écoutée ?

Bien sûr que non ! Elle avait épousé Cameron.

Elle ne voulait pas avoir un bébé tout de suite, mais un soir elle avait bu un peu trop de vin… Et elle s'était retrouvée enceinte.

Décidément, la vie n'en faisait qu'à sa tête. Et en regardant George et Adam s'amuser à la façon d'un père et de son fils, elle se demandait à quoi ressemblerait son avenir si elle oubliait ses craintes à propos de George.

Ce serait peut-être bien, tout comme ce pouvait n'être rien d'autre qu'un pur fantasme. Son poste l'attendait et elle avait acheté une maison, une jolie maison avec un jardin où Adam pourrait s'ébattre à son aise.

Et même si elle tentait une liaison avec George, rien ne lui permettait d'affirmer que cela durerait.

Avec la mort de Cameron, elle avait payé le prix fort pour retenir cette leçon.

Evidemment, son cœur lui hurlait de se donner une chance de bonheur, mais sa raison lui disait exactement le contraire !

Non, sa décision était prise une bonne fois pour toutes : George et elle seraient amis et rien d'autre. Point final. Elle devrait tenir un mois seulement… Quatre petites semaines.

Ensuite, elle poursuivrait son chemin et George en ferait autant.

— Je n'ai vraiment pas envie de travailler demain soir, dit George.

Samantha jeta un coup d'œil dans le rétroviseur. Son fils s'était endormi sur la banquette arrière.

— Moi non plus… Je suis vannée !

Bizarrement, George et Adam avaient décidé de tenter une baignade. Adam était sorti de l'eau en hurlant qu'elle était glacée, et même George avait été contraint d'admettre qu'elle était « un peu froide ».

Peu avant le coucher du soleil, ils s'étaient promenés en ville, avaient admiré les boutiques et mangé des hamburgers. Quand la nuit avait commencé à tomber, ils avaient enfin regagné le monospace et repris la direction de London.

— Qui s'occupe d'Adam, demain ? lui demanda George.

— Ses grands-parents. Ils l'emmènent voir les feux d'artifice comme tous les ans.

— Ah oui, en effet, vous me l'aviez dit.

— Ils vont venir le chercher dans la matinée. J'essaierai de dormir un peu pendant la journée.

— Je crois que je vais en faire autant. Pas de café pour moi, demain matin.

— Sage initiative.

George haussa les épaules.

— De toute façon, mes sœurs et Cheryl ont toujours prétendu que la caféine me surexcitait.

George tiqua, comme s'il venait d'en dire un peu trop.

— Cheryl était votre fiancée ? s'enquit Samantha avec une pointe de jalousie.

— Exact.

Elle s'éclaircit la gorge.

— Que s'est-il passé ? Je veux dire… pourquoi avez-vous rompu ?

George lui lança un coup d'œil de côté.

— Je n'ai pas vraiment envie d'en parler.

— Je me suis confiée à vous, lui rappela-t-elle avec un sourire engageant. Allons ! Que s'est-il passé ?

— Elle m'a quitté. Il n'y a rien de plus à dire.

— J'en suis désolée.

— Merci, mais je ne veux pas qu'on me plaigne, je vous l'ai déjà dit.

— Je comprends ça. La compassion est dure à supporter, parfois.

— En effet.

Samantha se mordit la lèvre inférieure. Elle aurait bien voulu connaître la raison de cette rupture, mais cela ne la regardait pas. Pourtant, George avait beau s'efforcer de le cacher, elle reconnaissait le chagrin qui crispait son visage… Elle le reconnaissait parce qu'elle avait vécu elle-même la perte de l'homme qu'elle aimait. Cheryl n'était pas morte, bien sûr, mais il était clair que son départ avait profondément blessé George.

— Quand est-elle partie ?

— Il y a un an. Mais cela n'a plus d'importance.

Il y eut un court silence que George ne tarda pas à rompre :

— Alors, quand allez-vous me faire regarder cette comédie musicale dont vous m'avez parlé, *Oklahoma* ?

— Je ne sais pas. Et vous ? Quand me ferez-vous voir *La Kermesse de l'Ouest* ?

— Nous fixerons un jour.

C'était une façon polie de lui faire comprendre qu'il ne le ferait sans doute jamais. C'était sans doute mieux ainsi, mais cela faisait mal quand même.

— J'espère que nous n'aurons pas trop de travail, demain soir, ajouta-t-il.

— Moi aussi.

De nouveau, le silence s'installa, pesant.

— J'espère que vous vous êtes bien amusé, dit Samantha pour le briser.

— C'est le cas. Adam est un petit garçon formidable.

— Merci. Vous m'avez dit que vous avez des neveux ?

— Une nièce et un neveu, oui, mais ils sont trop jeunes pour que je puisse vraiment m'amuser avec eux. C'est à peine s'ils arrivent à tenir la tête droite.

— Cela me manque… Bébé, Adam me donnait souvent des petits coups de tête. J'adorais cela. J'ai toujours voulu avoir trois enfants.

— Ce n'est pas exclu ! Vous êtes jeune et vous pouvez encore en avoir.

Le cœur de Samantha se mit à battre plus vite.

— C'est vrai, mais je ne crois pas que cela arrivera.

— Pourquoi ?

La question la prit de court. Elle avait déjà eu cette discussion avec des amis, mais une fois qu'elle leur donnait son excuse, ils n'insistaient pas.

— Je suis mariée avec mon travail.

Sous le regard perspicace de George, elle sentit pourtant combien l'explication était pauvre.

— Vraiment ?

— Vous ne me croyez pas ?

— Je crois plutôt que vous vous cachez derrière votre métier.

— Vous êtes bien placé pour dire ça !

Acceptant la rebuffade, il se mit à rire.

— D'accord, vous avez raison. Mais revenons à vous… Vous étiez heureuse avec Cameron, mais j'aurais pensé que vous voudriez encore connaître le même bonheur.

Il ne se trompait pas. Elle aurait voulu éprouver de nouveau ce sentiment de plénitude, mais elle ne savait que trop ce qu'on ressentait lorsqu'il vous était arraché.

Peut-être ses plaies n'étaient-elles pas aussi bien cicatrisées qu'elle se l'imaginait ?

— Et vous ? fit-elle.

— Quoi, et moi ?

— Je suppose que vous souhaitez de nouveau être heureux, vous aussi.

Sans répondre, George se tourna vers la fenêtre.

— Je n'en sais rien.

Au bout d'un court silence, il changea de sujet :

— Vous avez votre licence de pilote, ou bien ferez-vous seulement partie de l'équipe soignante, dans l'avion ?

— Je compte bien piloter !

— Vous m'impressionnez. Vous le savez sûrement déjà, mais je trouve que vous vous en tirez étonnamment bien !

— Merci. Venant de vous, qui avez piloté votre propre appareil, le compliment me fait chaud au cœur.

— Merci.

De nouveau, il se détourna et elle comprit qu'elle avait touché un point sensible. Elle aurait voulu le prendre par les épaules et le secouer. Pourquoi renoncer bêtement à sa carrière ? Pourquoi jeter aux orties sa licence de pilote ?

C'était du gâchis, mais cela ne la regardait pas.

Le reste du trajet se passa dans un silence tendu. Quand elle déposa George devant chez lui, ils se dirent au revoir et échangèrent encore quelques plaisanteries sur le fait qu'ils se retrouveraient au travail le lendemain soir.

Parvenue devant son immeuble, elle dut réveiller Adam,

ce qui ne fut pas une mince affaire. Elle prit le panier du pique-nique, mais laissa les chaises et le parasol dans la voiture. Il serait bien temps de les récupérer le lendemain matin.

Une fois dans l'appartement, elle posa son panier et se frotta les tempes. Elle commençait à avoir la migraine et elle était triste.

— On s'est bien amusés, maman, dit Adam entre deux bâillements.

Elle se tourna vers son fils, déjà en pyjama. Le prenant dans ses bras, elle l'embrassa.

— Je suis contente que tu aies apprécié ta journée, mon chéri. Tu es toujours content de partir pour Thunder Bay ?

— Ouais ! Je verrai Jessie et mes cousins. Et puis grand-mère m'a promis de prendre l'avion et de venir nous voir.

Samantha caressa la tête de son fils, réprimant les larmes qui lui montaient aux yeux.

— Je t'aime, mon chéri.

Adam leva les yeux au ciel, mais il souriait en se serrant tout contre elle.

— Moi aussi, maman, je t'aime.

Sur ces mots, il regagna sa chambre et se mit au lit.

Samantha laissa échapper un soupir. Avec Adam, elle avait tiré le bon numéro, et si c'était tout ce qu'elle pouvait avoir, c'était déjà formidable.

Son fils était toute sa vie, et elle allait mener à Thunder Bay l'existence dont elle avait toujours rêvé.

Elle n'avait besoin de rien de plus — même si son cœur lui chantait une autre chanson.

10.

Les jours passèrent. George et Samantha travaillaient sans relâche, parfois ensemble, parfois séparément. Ils ne parlaient plus de leur vie privée et elle ne lui posait plus de questions.

Ils étaient collègues, rien de plus.

C'était ce qu'il avait souhaité dès le début, mais maintenant, il le regrettait.

Il avait apprécié leurs discussions et il avait de l'affection pour Adam. Sur cette plage de Grand Bend, il avait oublié ce que Cheryl lui avait fait et il avait un peu retrouvé l'homme qu'il avait été autrefois.

Mais si Samantha préférait s'en tenir à une relation purement professionnelle, il n'insisterait pas. Peut-être n'était-elle toujours pas remise de la mort de son mari.

Il se concentrait donc sur sa formation et sur l'examen final. Surtout, il profitait de tout ce que Samantha pouvait lui apprendre.

Ce soir-là, il espérait que la nuit serait tranquille.

Malheureusement, ils furent prévenus qu'un incendie s'était déclenché dans un appartement situé à l'est de la ville. Ce fut George qui prit le volant. Il adorait brancher les sirènes et le gyrophare avant de foncer à travers les rues. C'était un peu comme de piloter un avion… en moins excitant.

Lorsqu'ils parvinrent sur les lieux, le spectacle était chaotique. Des flammes orangé et rouge montaient vers le ciel depuis le sommet de l'immeuble. Des gens étaient recroquevillés sous des couvertures et les pompiers faisaient leur possible pour dompter le feu et l'empêcher de gagner les maisons victoriennes voisines.

Ils rejoignirent un pompier qui leur adressait des signes. Aussitôt, George poussa le brancard en direction d'un vieux monsieur. Entre Samantha et lui, les mots étaient inutiles pendant qu'ils aidaient leur patient à s'étendre.

George lui administra de l'oxygène et Samantha l'examina. Elle faisait toujours preuve de douceur avec les patients, mais elle n'acceptait pas non plus qu'on se montre grossier envers elle. Si l'un d'entre eux était agressif, elle savait le remettre à sa place.

C'était une femme forte, compétente, et elle l'attirait comme un aimant.

— Est-ce que vous pouvez m'aider ? cria un pompier.

George consulta Samantha du regard.

— Allez-y, lui dit-elle.

Hochant la tête, il se dirigea vers le pompier.

— Que se passe-t-il, capitaine ?

— On nous amène un bébé qui a perdu connaissance. Dès que mon homme le sortira…

— Je m'en occupe !

Un instant plus tard, le pompier en question sortit en courant de l'immeuble, tenant dans ses bras un bébé enveloppé dans une couverture. George le prit aussitôt et s'agenouilla sur le sol. Il entendit la mère hurler, mais il resta concentré sur l'enfant.

Tirant doucement sa tête en arrière, il lui ouvrit la bouche. Constatant que les voies aériennes étaient dégagées, il plaça sa bouche sur celle du bébé et pratiqua une insufflation.

La petite poitrine se souleva, mais l'enfant ne respira pas.

Avec deux doigts, il commença le massage cardiaque. Après quinze compressions, il souffla de nouveau dans le nez et la bouche du bébé.

Encore deux insufflations, puis des compressions.

Du coin de l'œil, il vit Samantha s'accroupir près de lui.

Soudain, il y eut un son étranglé suivi d'un faible piaillement. Ce cri le galvanisa. C'était le bruit le plus merveilleux qu'il avait entendu depuis bien longtemps.

— Beau travail, mon petit pote, murmura-t-il.

— Mon bébé ! pleurait la mère sous son masque à oxygène.

— Il respire, il est vivant ! On l'emmène tout de suite à l'hôpital ! lança George.

Samantha sur les talons, il se mit à courir vers l'ambulance, le bébé dans les bras. Dès qu'il eut grimpé à l'arrière, Samantha lui tendit un masque qu'il posa aussitôt sur la frimousse du nourrisson.

Il croisa le regard de Samantha, qui lui sourit. Ses yeux bleus dégageaient une chaleur qui le toucha profondément. Il voulut lui dire quelque chose qu'il ne put formuler, mais elle descendit du véhicule et ferma les portières.

Un instant plus tard, l'ambulance démarrait, sirènes hurlantes. George baissa les yeux vers le petit bébé, couvert de cendres mais vivant. Il éprouva une émotion qu'il n'avait pas ressentie depuis le crash de son avion.

Même lorsqu'il avait sauvé cette petite fille, sur l'autoroute, il était comme engourdi à l'intérieur. Mais ce qui venait de se passer le troublait et il ne savait pas quoi en penser.

Samantha observa George qui déposait délicatement le petit patient dans un incubateur. Le personnel pédiatrique des urgences était venu à leur rencontre dans le couloir. Pendant que les médecins reliaient le bébé aux moniteurs, George maintint le masque à oxygène en place. Elle avait appris par le standard de la base que la mère avait été amenée dans le même hôpital et que le bébé s'appelait Chad.

George avait fait son rapport aux médecins pendant qu'ils couraient le long du corridor en direction des soins intensifs pédiatriques. L'enfant fut intubé de façon à ce que la machine respire à sa place pendant qu'on surveillait les dommages que les inhalations de fumée avaient pu faire subir à ses pauvres petits poumons.

C'était plus que Samantha pouvait en supporter. Lorsqu'elle

avait vu George en train de sauver la vie de ce nourrisson, elle avait été submergée par l'émotion.

Il avait été d'une telle délicatesse, quand il avait pris le bébé dans ses bras puissants, quand il l'avait aidé à respirer et l'avait ramené à la vie !

Dès que l'incubateur fut aux soins intensifs, George reprit son masque à oxygène avec une certaine réticence et rejoignit Samantha. Son visage en sueur était recouvert de cendres, sa chemise blanche était froissée et souillée, mais elle était certaine que son propre aspect ne valait guère mieux.

— On a des nouvelles de la mère ? lui demanda-t-il en lui emboîtant le pas.

— Elle est en route. Vous avez été impressionnant, ce soir.

— Ça fait partie du boulot, non ? remarqua-t-il en haussant les épaules.

— C'est vrai.

Comme ils marchaient côte à côte, elle perçut un changement subtil en lui.

— Vous voulez un café ? proposa-t-elle.

— Très volontiers.

Ils se rendirent à la cafétéria où elle commanda deux cafés bien noirs, puis elle lui tendit un des gobelets et ils quittèrent l'hôpital. Tout en se dirigeant vers l'ambulance, ils sirotèrent le liquide brûlant sans échanger un mot. Parvenus à destination, ils s'assirent à l'arrière comme ils l'avaient fait quand ils étaient restés coincés sur la route.

Mais cette fois, il faisait nuit, il n'y avait pas de lac et tout près d'eux, l'hôpital bourdonnait d'activité. Quand les regards de Samantha se portaient à l'est, elle pouvait voir le ciel se nuancer de rose à l'approche de l'aube.

— Vous avez été impressionnant, répéta-t-elle.

— Merci, mais sincèrement, je ne pourrais pas éprouver de l'orgueil parce que j'ai sauvé une vie. Vous aussi, vous assistiez ce vieil homme qui respirait difficilement.

— Oui, mais il y a quelque chose de particulièrement émouvant à voir un bel homme sauver la vie d'un bébé.

Prenant conscience de ce qu'elle venait de dire, elle se sentit rougir. Il posa sur elle un regard malicieux.

— Vous me trouvez beau ?

Elle lui asséna une petite tape sur le bras.

— La ferme !

— En tout cas, dit-il, vous devez avoir raison, quelque part, puisque j'ai reçu une invitation pour un grand dîner.

— Quoi ?

— Il paraîtrait qu'on veut honorer le héros local.

— George ! C'est formidable !

— Je ne devrais pas être encensé parce que j'ai fait mon travail, assura-t-il en haussant les épaules.

— Vous allez refuser ?

— Pas si vous m'accompagnez.

Stupéfaite, elle marmonna :

— Je ne sais pas, George.

— Vous êtes ma partenaire, c'est normal que vous veniez avec moi.

Sa partenaire... Oui, c'était vrai. En ce cas, elle pouvait bien accepter, non ?

Elle acquiesça.

— C'est d'accord. Quand est-ce ?

— Demain soir, annonça-t-il comme si de rien n'était en jetant son gobelet vide dans une poubelle.

— Demain ! Depuis quand êtes-vous au courant ?

— Une quinzaine de jours.

Samantha leva les yeux au ciel.

— Ah, les hommes ! Vous êtes tous les mêmes.

Arborant une petite grimace amusée, il se leva.

— Où va-t-on, maintenant ?

— A la base. Notre service est presque terminé.

— C'est moi qui conduis !

Elle lui lança les clés avant de s'installer sur le siège passager.

Mais qu'est-ce qu'elle était en train de faire ?

Depuis cette journée à la plage, elle avait pris ses distances vis-à-vis de George et cela avait marché... Du moins, elle le croyait. Ils travaillaient bien ensemble, et elle se sentait à l'aise avec lui. Mais plus elle le côtoyait, plus il l'attirait.

Et maintenant, elle allait dîner avec lui dans une salle pleine de gens où la ville de London comptait célébrer sa bravoure !

Avait-elle perdu la raison ?

Sans doute, mais elle ne pouvait pas s'en empêcher, même si cette soirée lui inspirait une peur bleue.

Le lendemain soir, Samantha arpentait sa salle de séjour de long en large. Cela faisait bien longtemps qu'elle n'avait pas mis une robe de cocktail ou coiffé ses cheveux avec tant de soin.

Elle ne tenait pas en place.

Avant de partir avec sa grand-mère, Adam lui avait assuré qu'elle n'était pas mal… enfin, pour une maman.

A cette idée, Samantha émit un petit gloussement et se regarda encore une fois dans la glace. L'année précédente, elle avait acheté cette robe vert sombre sur un coup de tête et bien entendu, elle ne l'avait jamais portée. Elle était dos-nu, moulait son corps et s'arrêtait au-dessus des genoux. Le soutien-gorge spécial qu'elle portait lui rentrait dans les côtes tout comme les chaussures à talons aiguilles martyrisaient ses pieds.

Oui, franchement : qu'est-ce qu'elle était en train de faire ?

L'Interphone bourdonna.

— George ? demanda-t-elle en décrochant le combiné.

— C'est moi.

— Entrez.

Elle était sa cavalière, rien de plus, se répéta-t-elle une fois encore. Pour cela, et rien d'autre, elle avait dû soigner sa toilette — rien de plus normal dans la mesure où ils étaient reçus par le maire en personne. Mais quand George frappa à la porte, son cœur fit un bond dans sa poitrine. Elle inspira un grand coup, et ouvrit.

Lorsqu'elle le vit, elle retint son souffle.

Etait-ce bien George, qui lui faisait face ?

Il portait un costume sombre bien coupé qui mettait en valeur sa stature athlétique. La cravate bleu nuit seyait à ses yeux sombres et à ses cheveux. Il semblait… dangereux. Comme un homme qu'il faut apprivoiser.

Soudain, Samantha eut envie d'être celle qui s'en chargerait.

Tandis qu'il la parcourait des yeux avec une admiration évidente, une délicieuse chaleur se diffusa dans les veines de Samantha.

— Waouh ! dit-il seulement.

Oubliant que ses cheveux étaient noués en chignon, elle tenta d'enrouler une mèche autour de son doigt.

Il était urgent de se reprendre.

Ils se tenaient tous deux sur le seuil de l'appartement, les yeux dans les yeux.

— Vous n'êtes pas mal non plus, observa-t-elle sur un ton qu'elle voulait léger.

— Merci. M'autorisez-vous à vous escorter ? demanda-t-il avec galanterie.

— Bien sûr.

Après avoir verrouillé sa porte, Samantha glissa son bras sous celui de George. Il ne lui restait plus qu'à espérer que son corps ne tremblerait pas trop à ce contact…

Il la guida vers sa voiture, dont il ouvrit la portière pour elle. Lorsqu'elle s'assit, elle sentit son regard sur ses jambes et de nouveau, elle eut très chaud. Il referma la portière, puis il contourna le véhicule et s'installa derrière le volant.

— Je ne sais pas si je vous ai dit combien vous êtes ravissante, lui fit-il.

— Je crois avoir compris le message quand vous vous êtes exclamé « waouh » en me voyant.

Il se mit à rire.

— C'était juste censé vous rendre justice.

Le cœur battant la chamade, Samantha ne savait trop quoi faire de ses mains. Il démarra et ils échangèrent peu de mots pendant le trajet jusqu'à l'hôtel où se tenait la réception.

Après avoir remis un pourboire à l'employé chargé de garer les voitures, George escorta Samantha à l'intérieur.

Ils furent introduits dans une grande salle. Par la suite, Samantha aurait pu jurer qu'elle avait échangé quelques mots avec les uns ou les autres, mais elle aurait été incapable de s'en souvenir avec précision.

Tout son être, toute son attention étaient focalisés sur George.

Depuis qu'ils étaient assis à la grande table d'honneur avec d'autres convives, George n'avait pas eu l'occasion de parler avec Samantha. Il fit de son mieux pour bavarder avec ses voisins, mais il n'était pas très fort à ce jeu.

Après le dîner, quand on l'appela sur l'estrade, il accepta sa médaille bien qu'il ne pensât pas la mériter. Samantha applaudit et le sourire rayonnant qu'elle lui adressa le transporta. Ensuite, il serra bon nombre de mains avant d'être propulsé vers le maire et d'autres notables.

Il savait qu'il aurait dû se concentrer sur la conversation et répéter combien il était honoré, mais il ne pouvait détacher ses yeux de Samantha. Il ne l'avait jamais vue aussi élégante, sauf sur cette photo de mariage qui ornait un mur de son appartement.

Elle n'était plus l'épouse de Cameron, tout comme il n'était plus fiancé avec Cheryl.

Cheryl était partie et Samantha était là, superbe et mortellement sexy. Le vert de sa robe rehaussait l'éclat de sa peau dorée et mettait en valeur ses yeux bleus. Le fourreau moulait ses courbes délicieuses et il était suffisamment court pour qu'on puisse admirer ses longues jambes.

Jusqu'alors, il ne l'avait vue qu'en tenue de travail, de grosses bottes aux pieds. Mais ces talons aiguilles le rendaient fou et il ne pouvait s'empêcher d'imaginer ces longues jambes nouées autour de sa taille.

Cela faisait bien longtemps qu'il n'avait pas désiré une femme.

— *Cheryl, ce n'est peut-être pas définitif. Tu n'es pas obligée de me quitter!*

Cheryl avait secoué la tête.

— *Je veux être pilote, George. Est-ce que tu comptes remonter dans un avion un jour?*

— *Je viens de m'écraser. Je suis resté tout seul dans le froid pendant près d'un jour. Je ne peux pas l'affirmer, honnêtement.*

— *Alors, je ne peux pas rester avec toi, désolée. Ce ne serait pas juste, pour toi comme pour moi.*

— *Ce qui est injuste, c'est que tu rompes avec moi de cette façon.*

— *Quel bénéfice en tirerions-nous, si je restais avec toi et que j'étais malheureuse?* avait-elle dit en mettant son manteau. *Je suis désolée. Tu étais super, mais je veux des choses que tu ne peux plus m'offrir.*

George chassa ce souvenir avec colère.

Cheryl ne méritait pas de demeurer gravée dans sa mémoire. Pour une fois, il devait penser à lui et à son propre bonheur, même s'il ne savait pas exactement comment s'y prendre.

Il n'était pas prêt à piloter de nouveau.

Il n'était pas prêt à aimer de nouveau.

Cherchant des yeux Samantha, il la vit en train de discuter avec l'épouse du maire de l'autre côté de la salle.

Il aurait voulu être prêt à l'accueillir dans son cœur.

Samantha écoutait la femme du maire d'une oreille distraite. Levant les yeux, elle s'aperçut que George la fixait et elle lui sourit. A cet instant, l'orchestre se mit à jouer et les couples à danser.

George vint vers elle et elle se détourna des femmes qui l'entouraient. De toute façon, elles ne lui accordaient plus aucune attention.

— Vous êtes seule, ce soir, chérie ? fit-il en adoptant un accent traînant.

Elle se mit à rire.

— Vous parlez comme Clint Eastwood !

— Bien sûr, puisque je suis le héros de la soirée.

— Très bien, héros, et qu'est-ce que vous allez faire, maintenant ?

— M'accorderez-vous cette danse ? proposa-t-il en lui tendant la main.

Elle la prit, espérant que la sienne ne tremblait pas.

— Volontiers.

Il la guida jusqu'à la piste et la fit tournoyer avant de l'attirer contre lui.

— Merci de m'avoir porté secours, dit-elle. Je déteste faire tapisserie.

— Vous ne pourriez jamais faire tapisserie.

— Vraiment ?

— Je suis certain que si cela n'avait pas été moi, un autre chanceux vous aurait invitée.

— Vu que je ne vois autour de moi que des importuns, j'espère que vous auriez défendu mon honneur.

— Bien entendu.

Dans le ventre de Samantha, des papillons en folie se mirent à voleter. Fascinée par son cavalier, elle n'entendait même pas la musique.

Seule sa voix parvenait à ses oreilles.

Elle ne sentait que son corps, pressé contre le sien.

Et cela aurait dû allumer une alarme dans sa tête...

Elle s'éclaircit la voix.

— Je trouve que nous avons parfois d'étranges conversations, George Atavik.

— C'est mal ?

— Pas du tout, murmura-t-elle, mais j'ai tendance à m'oublier quand je suis avec vous.

— Vraiment ? souffla-t-il.

— Est-ce que je vous ai dit combien vous êtes élégant ?

— Non. J'ai acheté un costume neuf. J'ai pensé que l'occasion en valait la peine.

— Disons que le vendeur a bien fait son travail ! Vous êtes superbe.

— Je pourrais vous dire la même chose.

— Vous me trouvez si élégante ? s'enquit-elle en riant.

— Non… Vous n'êtes pas seulement élégante, mais aussi sexy. Mortellement sexy.

— George…

— Désolé, je n'ai pas pu m'en empêcher.

— Pas de souci.

Elle aurait voulu lui dire qu'elle avait apprécié le compliment, mais les mots ne franchirent pas le seuil de ses lèvres. Le cœur battant, elle mourait d'envie de l'embrasser.

Il la serra plus fort et le parfum épicé de son eau de toilette la fit chavirer dans ses bras. Elle aurait aimé enfouir son nez dans son cou et respirer cette odeur masculine, mais elle était bien trop timorée pour faire preuve d'une telle audace.

— Samantha, chuchota-t-il, je devrais vous ramener chez vous. Il se fait tard.

— Oui, je pense que c'est plus sage.

Cela valait certainement mieux, en effet, mais ce n'était pas ce qu'elle ressentait au plus profond d'elle-même.

Le lendemain, Samantha craignait que quelque chose ait changé dans ses relations avec George. Lorsqu'elle arriva à la base, elle attendit avec anxiété qu'il fasse son entrée à son tour.

Lorsqu'il franchit enfin le seuil du bâtiment, il avait les yeux baissés vers le sol, mais au lieu de l'éviter, il vint s'asseoir en face d'elle à la table où elle travaillait.

Il plongea ensuite la main dans son sac, en sortit un manuel et l'ouvrit. Les pages étaient annotées dans tous les sens, comme put le constater Samantha.

— Sur quoi travaillez-vous, en ce moment ? lui demanda-t-elle.

— Rien en particulier. Je balaie le programme en vue de l'examen du mois d'août.

— Il n'est pas un peu trop tôt pour cela ?

— Je travaille jusqu'à ce que tout soit gravé là, dit-il en se tapotant la tempe. De cette façon, je ne stresse pas trop quand la date approche.

— Très malin !

Elle aurait voulu en dire plus, mais les sirènes retentirent à ce moment précis. Se levant d'un bond, elle courut vers le guichet chargé du tri. Tous les infirmiers de service étaient déjà réunis.

Lizzie recueillit les informations, puis elle leva les yeux.

— Un bébé prématuré vient de naître à Owen Sound. On doit l'héliporter jusqu'à l'hôpital des enfants.

— J'y vais ! lança Samantha. J'ai souvent effectué des transports de patients par air.

Fourrant son livre dans son sac, elle se dirigea vers le vestiaire. S'attendant à ce que George la suive, elle se tourna vers lui, mais il ne bougeait pas, comme pétrifié.

— Vous venez, George ?

— C'est inutile. Vous n'avez pas besoin de moi.

Il avait raison, d'autant que le cockpit n'était pas vraiment spacieux, mais c'était une occasion que bien des ambulanciers auraient saisie…

Elle revint vers lui.

— Vous devriez voir comment on s'y prend.

— Pourquoi ? Je n'ai pas l'intention de voler.

Il se détourna mais elle le retint par le bras.

— C'est une chance, George.

Il se dégagea d'un geste vif.

— J'ai eu mon comptant d'heures de vol, vous pourrez le constater dans mon dossier.

Elle voulut discuter, mais elle perçut le vrombissement de l'hélicoptère qui approchait.

— C'est votre dernière chance ! Vous venez ?

— Pourquoi insistez-vous ?

— Très bien. Je vois que je perds mon temps.

— En effet, conclut-il en lui tournant le dos.

Furieuse, Samantha gagna le vestiaire et prit son sac de premiers secours avant de sortir. L'hélicoptère jaune fluorescent était en train de se poser sur le tarmac.

Tête baissée pour ne pas se faire happer par les hélices, Samantha s'approcha de son flanc. Une portière s'ouvrit.

— Samantha Doxtator ? demanda le copilote.

— Oui.

L'homme lui tendit un casque qui devait la protéger du bruit. Samantha le fixa sur ses oreilles, puis elle s'assit et attacha sa ceinture de sécurité pendant que le copilote refermait la portière.

Quand l'appareil s'éleva au-dessus du sol, elle jeta un coup d'œil par le hublot et aperçut George.

Planté sur le tarmac, il la fixait, comme tétanisé. Elle lut dans ses yeux une sorte de frayeur mêlée de douleur qui lui serra le cœur.

Tournant les talons, il se dirigea vers la base.

Samantha poussait l'incubateur contenant le minuscule nourrisson vers l'hôpital. Elle avançait le plus vite possible, mais elle ne voulait pas le secouer.

Elle avait du mal à réprimer son émotion lorsqu'elle regardait ce bébé prématuré qui luttait pour sa vie. Le moment où elle l'avait séparé de sa mère, qui se remettait encore d'une césarienne effectuée en urgence, avait été très pénible.

Les larmes de celle-ci avaient profondément ému Samantha, mais cela faisait partie de son travail et elle n'avait pas pu la consoler.

Tiens bon, mon petit gars ! supplia-t-elle en silence.

Le pédiatre de garde l'attendait. Elle aida les infirmières à installer le bébé dans une couveuse de l'hôpital avant qu'il soit intubé et examiné.

Quand son état fut stabilisé, Samantha leur remit le dossier de l'enfant et quitta l'hôpital. Un instant plus tard, elle était de nouveau dans l'hélicoptère qui ne tarda pas à survoler la ville. Par le hublot, elle put admirer une explosion de couleurs dans le ciel noir.

Des feux d'artifice. C'était étrange, puisque la fête de la Reine était passée depuis longtemps. Un sourire aux lèvres, elle se demanda si Adam les regardait aussi.

Puis elle pensa à George…

Cette expression de terreur, quand l'hélicoptère avait décollé, avait sauté aux yeux de Samantha. Ce soir, il fallait à tout prix qu'elle sache ce qu'il lui était arrivé.

Elle en avait besoin et elle souhaitait l'aider.

Car George était entré dans son cœur… Cette découverte l'exaltait et l'effrayait à la fois.

Il était peut-être temps de laisser les fantômes du passé derrière elle.

Peu après, l'hélicoptère atterrit sur le tarmac de la base. La porte du bâtiment était ouverte et il restait forcément quelqu'un à l'intérieur. Elle espérait que ce serait George.

Elle rendit son casque au copilote, puis elle sauta sur le sol et passa tête baissée sous les hélices qui tournaient toujours. Lorsqu'elle fut à bonne distance, elle se retourna pour adresser un signe de la main au pilote, puis elle marcha d'un pas ferme en direction des locaux d'Air Ambulance.

En apercevant George assis à la table, elle réprima un frisson d'appréhension.

Les bras posés sur les genoux, il était penché en avant. Lorsqu'elle posa son sac près de lui, il se redressa brusquement et la regarda.

— Vous êtes de retour !

Elle perçut dans sa voix un mélange de soulagement et d'autre chose qu'elle ne put nommer.

— Bien sûr. Où sont les autres ?

— Des imbéciles d'ivrognes ont allumé des feux d'artifice. Vous imaginez la suite.

— Vous allez bien ?

— Evidemment, lui répliqua-t-il en se levant. Pourquoi n'irais-je pas bien ?

— Parce que j'ai vu votre visage quand l'hélicoptère a décollé.

Les lèvres de George se pincèrent pour ne plus former qu'une ligne très mince et ses yeux sombres la fixèrent avec froideur.

— Je ne vois pas à quoi vous faites allusion.

— Pourquoi ne pilotez-vous plus, puisque vous avez votre licence ?

— La discussion est close.

— Je ne crois pas, non.

Comme il se détournait pour s'éloigner, elle lui saisit le bras. Faisant volte-face, il la coinça contre une rangée de casiers, les deux mains posées de chaque côté de sa tête. Samantha craignait cette proximité tout en la désirant.

— Parlez-moi, George, je voudrais vous aider.

— Pourquoi ? Vous ne pouvez pas laisser tomber et accepter mon choix ? Je ne *veux plus* voler.

— J'ai du mal à le croire.

— Pourquoi ?

— Vous avez des années d'expérience et lorsqu'on choisit cette voie, c'est parce que l'on aime ça. On n'abandonne pas, à moins que…

La vérité heurta Samantha de plein fouet.

— L'avion que vous pilotiez s'est crashé !

S'écartant brusquement d'elle, il s'éloigna. Sans réfléchir, elle le suivit dans le vestiaire. George ouvrit son casier et se prépara à quitter la base.

— Votre avion s'est écrasé, c'est ça ?

Il ne répondit pas, mais lorsqu'il lui jeta un coup d'œil par-dessus son épaule, son visage crispé fournit à Samantha la réponse qu'elle attendait.

— Il n'y a pas de honte à cela, reprit-elle. Une telle expérience a de quoi terrifier n'importe qui.

Se rapprochant de lui, elle lui caressa la joue.

— Parlez-moi !

— Ne me touchez pas !

— Pourquoi ? demanda-t-elle, les tempes bourdonnantes.

— Parce que si vous le faites, je ne pourrai pas m'empêcher de vous embrasser. J'en brûlais d'envie, l'autre nuit, et je me suis juré de ne jamais…

Ses yeux sombres étincelaient de désir et elle était certaine que les siens aussi.

— Et si je voulais que vous le fassiez ?

Sans rien dire, il fit un pas de plus vers elle et elle ne recula pas. L'attirant contre lui, il prit ensuite son visage entre ses mains puissantes. Elle ferma les yeux lorsque leurs bouches se rencontrèrent.

Un feu délicieux se répandit dans ses veines lorsqu'il glissa sa langue entre ses lèvres, allumant en elle un désir qu'elle croyait disparu depuis longtemps.

Et pourtant… Bien que son corps lui intimât l'ordre de le retenir, elle le repoussa.

Les larmes aux yeux, elle porta la main à sa bouche.

— Je suis désolée…

Sur ces mots, elle sortit en courant du vestiaire, saisissant son sac au passage. Si cette étreinte s'était poursuivie, elle savait bien où cela les aurait menés.

Et elle n'était pas sûre d'être prête pour cela.

George n'était pas le seul à être hanté par un fantôme…

Un peu plus tard, dans sa voiture, elle se mit à pleurer. Elle avait peur de tomber amoureuse de George et de risquer ensuite de le perdre comme elle avait perdu Cameron.

Elle se détestait d'être aussi lâche.

11.

Les deux semaines suivantes furent un peu pénibles. Samantha avait du mal à supporter la distance qui s'était instaurée entre George et elle.

Leurs bavardages lui manquaient.

Ce jour-là, elle le regardait évoluer sur le tarmac pour une simulation d'opération de secourisme. Il s'agissait d'effectuer un tri parmi des mannequins figurant des mineurs victimes d'une explosion.

Dans les nombreuses mines du Nord, il y avait souvent des accidents donnant lieu à des traumatismes variés. Le lendemain, la simulation aurait pour objet un feu de forêt.

Calme et visiblement expérimenté, George passait d'une victime à l'autre pour évaluer leur état.

Elle était fière de lui. Elle l'admirait, même.

Samantha était déprimée à l'idée qu'à partir du lendemain, il ne leur resterait plus qu'une seule semaine à passer ensemble. Ensuite, ils gagneraient tous les deux le Nord, où ils ne se verraient plus chaque jour.

Au bout d'un certain temps, il serait sans doute affecté ailleurs. *A moins qu'il ne reste à Thunder Bay*, lui murmurait une petite voix.

Mais quelle raison aurait-il eu de s'y éterniser ? Elle ne lui en avait certainement donné aucune…

Parfois, quand ils travaillaient ensemble ou effectuaient le transfert d'un patient, elle avait presque le sentiment qu'il l'observait avec tendresse, mais dès qu'elle se tournait vers lui, il avait le même regard distant.

Retour à la case départ. Ils étaient amis, rien de plus, et elle devrait bien s'en contenter.

Le problème, c'était qu'elle voulait bien plus !

Le baiser qu'ils avaient échangé ne lui suffisait pas.

George en avait terminé avec le premier scénario. Après avoir mis une étiquette sur le mannequin qu'il examinait, il gagna la scène suivante.

Samantha remarqua qu'il s'immobilisait, le dos bien droit et les poings serrés contre ses cuisses. Elle ne voyait pas son visage, mais elle devinait son expression.

Chaque fois qu'elle lui avait parlé de remonter en avion, elle lui avait vu la même… Seulement, cette simulation n'avait *aucun* rapport avec un crash !

Le mannequin qu'il regardait était coincé sous un gros tuyau. Samantha posa son bloc-notes et s'approcha de lui.

— Tout va bien, George ?

Elle aurait voulu le toucher, mais ce n'était pas une très bonne idée, elle le savait. Pour commencer, elle était son instructrice. Ensuite, c'était ce qu'ils avaient décidé depuis ce fameux soir où elle avait pris la fuite ou presque : ils étaient amis et collègues, rien de plus.

— Pas de problème, siffla-t-il entre ses dents serrées.

Elle ne le crut pas une seconde.

— Vous voulez qu'on continue ensemble ?

Comme il ne répondait pas, elle consulta la fiche de renseignements posée près du mannequin.

— Lésions par écrasement, dit-elle.

— Je sais.

— Parfait. Que devez-vous faire ?

Il braqua sur elle un regard vide qui la fit frissonner.

— Elle mourra si je ne l'aide pas.

Fronçant les sourcils, Samantha baissa les yeux vers la « victime », une femme si l'on en croyait les indications.

— Vous n'êtes pas médecin, George. Il n'est pas question pour vous de la soigner, mais seulement de l'aider.

George se détourna.

— Il risque de mourir, dit-il. Je sais de quoi je parle. *Il* ?

— Vous avez été coincé ? demanda-t-elle avec compassion.

— Quoi ?

— Vous avez été pris au piège, quand votre avion s'est crashé ?

Il se passa la main sur le visage.

— Non. Donnez-moi cette fiche, Samantha.

— George…

— Faites ce que je vous ai dit !

Samantha lui tendit la fiche.

— Vous êtes certain d'aller bien ?

— Tout à fait, vous pouvez retourner à vos évaluations.

Sur ces mots, il s'agenouilla près du mannequin pour terminer la simulation. Samantha regagna l'endroit où elle avait laissé son bloc-notes.

Il y avait un mur entre eux et, à cet instant précis, elle ignorait s'il pouvait être franchi.

Elle le souhaitait de tout son cœur, en tout cas, parce que George lui manquait vraiment.

Après le travail, George resta un moment à la base pour nettoyer son casier. Dans une semaine, il ferait ses valises et partirait pour Thunder Bay où il avait déjà retenu un appartement meublé.

Ce ne serait qu'une étape, puisqu'il n'y resterait sans doute pas longtemps. Ensuite… Il ignorait totalement où il irait. Bien entendu, il aurait souhaité retourner chez lui, mais c'était impossible puisqu'il se refusait à piloter.

George s'assit sur un banc et fixa le sol.

Il aurait voulu expliquer à Samantha ce qu'il lui était arrivé pendant la simulation, mais il en était incapable.

En voyant ce mannequin pris au piège et victime de graves lésions d'écrasement, il avait revécu le crash.

Il s'était revu en train de traîner son corps blessé dans la neige. Il luttait pour sa vie parce que la femme qu'il aimait espérait son retour.

Oubliant la douleur, il s'était construit un abri de fortune pour que la neige cesse de lui fouetter le visage et pour se protéger des prédateurs. Après avoir érigé son demi-igloo contre le flanc de l'avion, il avait patienté des heures durant. L'hémorragie interne le menait doucement à la mort et il ne sentait plus les extrémités de ses membres.

Cette simulation avait rouvert la plaie, mais c'était aussi une gifle en pleine figure. Il ne pouvait pas faire son travail correctement s'il était hanté par la peur. Il perdrait la confiance de ses collègues, qui le croiraient instable. Ce n'était certainement pas ce qu'il voulait!

Il redoutait de remonter dans un avion, et alors?

Jurant tout bas, George claqua la porte de son casier vide, se détestant de ne pouvoir faire ce qu'il aimait.

Il était pilote.

Il avait ce métier dans la peau.

Il ne lui restait plus qu'à en tirer les conclusions qui s'imposaient…

Le bruit d'un hélicoptère attira son attention. Il remit son sac dans son casier et se dirigea vers le tarmac.

Au moment où il allait sortir de la base, le téléphone sonna et il décrocha.

— Air Ambulance, à l'appareil.

— Ici le pilote de l'hélicoptère 5.5. Nous avons besoin d'un infirmier pour nous assister pendant le transport d'un patient de Kincardine à London. Y en a-t-il un de disponible?

George retint sa respiration et serra le combiné.

— Oui. Dans combien de temps serez-vous là?

— Dans cinq minutes.

— Quelqu'un sera prêt.

Après avoir raccroché, George sentit une grosse boule lui nouer la gorge… Il pouvait le faire!

Il enfila une veste, prit une profonde inspiration et sortit sur le tarmac. L'appareil d'un jaune fluorescent se posait. Le visage fouetté par le vent, il se rappela ce jour où un autre hélicoptère avait amené une femme enceinte à Cape Recluse.

Charlotte et Quinn avaient couru vers lui pendant qu'il aidait sa patiente à descendre du brancard. A l'époque, il n'avait pas eu peur, et cela n'arriverait pas aujourd'hui non plus.

C'était un premier pas, il suffisait de le faire.

Le cœur battant à un rythme effréné, il se mit à courir jusqu'à ce qu'il se trouve sous les hélices. Penché en avant de façon à ne pas se faire happer par elles, il grimpa à bord.

Il tremblait, mais il s'arrangea pour que personne ne s'en aperçoive pendant qu'il se mettait le casque sur les oreilles. La portière se referma avec un claquement sec et l'appareil s'éleva au-dessus du sol.

Fermant les yeux, George porta la main à son totem.

L'ours censé tout guérir.

Il était fort.

Tout comme lui.

Au bout d'un instant, son rythme cardiaque s'apaisa et il ouvrit les yeux pour regarder par le hublot. La ville s'étendait sous lui, avec ses lumières et ses routes.

Samantha se trouvait au sud.

Pour le moment, il n'était peut-être pas capable de piloter un avion, mais c'était un début.

Un jour, peut-être, il serait de nouveau capable de partager sa vie avec une femme. Mais ce n'était pas demain la veille et il n'y avait aucune raison que Samantha l'attende.

Non, il n'aurait pas cette chance.

Un coup frappé à la porte réveilla Samantha en sursaut. Elle jeta un coup d'œil au réveil. Il n'était que 3 heures du matin.

Elle se leva en vitesse et enfila un peignoir. Par bonheur, Adam était chez ses grands-parents. S'il lui était arrivé quelque chose, elle savait que Joyce aurait téléphoné.

On frappa plus fort et elle jeta un coup d'œil par le judas.

George ?

Elle ouvrit aussitôt la porte.

— Qu'est-ce que vous faites ici ?

— Je peux entrer ?

— Bien sûr, dit-elle en s'écartant. Comment êtes-vous venu ?

— Quelqu'un m'a pris en stop… Je porte mon uniforme d'ambulancier.

— C'est ce que je vois et cela m'étonne, d'ailleurs.

— Je voulais vous expliquer ce qui est arrivé aujourd'hui.

— S'il s'agit de la simulation, je ne vous ai pas pénalisé…

— Attendez, je vous demande juste de m'écouter jusqu'au bout, s'il vous plaît.

Elle croisa les bras sur sa poitrine.

— Pourquoi êtes-vous là, George ?

— J'ai failli mourir de lésions d'écrasement.

Il sembla hésiter. Samantha l'interrogea du regard.

— Continuez.

— Cheryl — ma fiancée — m'a quitté parce qu'elle ne supportait pas d'être la femme d'un handicapé.

Quoi ? Samantha comprenait sa souffrance, maintenant. La blessure était encore trop à vif.

— Mais vous ne l'êtes pas !

— Après le sauvetage, les médecins ne savaient pas si je pourrais marcher de nouveau.

Samantha esquissa un geste en direction de George.

— J'imagine combien c'est difficile d'envisager de piloter, après une telle expérience.

— Ce soir, j'ai fait le trajet jusqu'à Kincardine en hélicoptère, dit-il d'une traite.

— C'est extraordinaire !

Il secoua la tête.

— Je ne suis pas prêt à reprendre les commandes, Samantha.

— Mais c'est déjà un grand pas ! Vous devez être très fier de vous.

— Je voulais juste vous expliquer pourquoi j'ai réagi

de cette façon. Vous m'avez fait confiance et j'ai besoin de vous dire ce qui m'empêche d'en faire autant.

Avant de savoir ce qu'il lui arrivait, Samantha se retrouva dans ses bras. Il l'embrassait et elle le laissait faire…

Elle aurait peut-être dû se débattre, mais elle n'en avait pas la moindre envie ! Bien au contraire, elle voulait savourer cet instant et s'en souvenir quand ils emprunteraient des chemins différents.

— Désolé, souffla-t-il contre sa bouche. Je ne devrais pas…

— Au contraire, dit-elle en lui rendant son baiser. Ne nous promettons rien, George. Profitons de l'instant présent et voyons où cela nous mènera.

— Samantha, si tu me touches ou si tu me regardes d'une certaine façon, je pourrais oublier que nous sommes censés n'être que des amis.

— Eh bien, oublie-le ! Je t'en prie !

Le vouvoiement entre simples « collègues et amis » avait fait son temps. Même si tout devait s'arrêter quand ils partiraient tous les deux vers le nord, elle ne pouvait pas lui résister.

La langue de George s'enroula autour de la sienne. Il plongea une main dans ses cheveux tandis qu'il caressait son corps de l'autre. Ils étaient poitrine contre poitrine, mais pas encore peau contre peau. Elle voulait cet homme.

— Pas ici, murmura-t-elle. Dans ma chambre.

Ravie, elle sentit qu'il la soulevait de terre pour la porter jusqu'à son lit.

Si elle ne le faisait pas, elle le regretterait.

Et elle était lasse de vivre avec ses regrets.

Lasse des non-dits, aussi. Elle était peut-être incapable d'exprimer ce qu'elle ressentait, mais au moins pouvait-elle le lui montrer.

Parvenu près du lit, il la remit sur pied et frôla son visage du bout des doigts.

— Tu trembles.

— Je sais, fit-elle d'une voix mal assurée. J'ai envie de

toi, George, mais j'ai peur parce que cela fait longtemps que je n'ai pas fait l'amour.

Il l'attira dans ses bras.

— Moi aussi, je t'ai voulue dès que je t'ai vue. Je me suis efforcé de te résister… parce que je pensais que c'était ce qu'il fallait.

Soulevant son menton d'un doigt léger, il l'embrassa avec passion.

Il semblait à Samantha qu'elle ne pourrait jamais être rassasiée de lui.

— George, chuchota-t-elle en nouant ses bras autour de son cou.

— Si tu n'es pas prête, dis-le-moi.

— Je suis prête.

Le lit était si proche.

— J'espère que tu as des préservatifs, murmura-t-elle.

— Oui, dit-il avant de déposer un baiser sur ses lèvres.

Plongeant la main dans sa longue chevelure, il ajouta :

— Tu as de très beaux cheveux. Je brûlais d'envie de les toucher.

S'écartant légèrement de lui, elle commença à déboutonner sa chemise d'uniforme. Lorsqu'elle la lui eut enlevée, elle la jeta sur la chaise la plus proche. Vint ensuite le T-shirt qu'elle fit passer par-dessus sa tête.

Une fois George torse nu, elle frôla le totem du bout des doigts.

— Tu veux que je l'enlève ? lui demanda-t-il.

— Non. Garde-le.

Elle caressa sa large poitrine, s'attardant sur la cicatrice qui zébrait son côté.

— C'est un souvenir du crash ? demanda-t-elle.

— Oui.

Il prit sa main et la porta à ses lèvres. Après avoir déposé un baiser sur sa paume, il embrassa son poignet. Un long frisson parcourut le dos de Samantha.

Elle avait hâte que plus rien ne les sépare et ils eurent tôt fait de le débarrasser de ses autres vêtements. Il prit alors le bord de sa chemise de nuit et la lui retira. Lorsqu'il fit glisser son slip de dentelle le long de ses jambes, elle laissa échapper un petit cri.

Le rouge lui monta aux joues. Depuis Cameron, personne ne l'avait vue nue…

— Comme tu es belle ! dit-il en la soulevant dans ses bras.

Après l'avoir déposée sur le lit, il mit le préservatif et la rejoignit. Les mains posées de chaque côté de son visage, il l'enjamba et elle noua ses jambes autour de sa taille.

De nouveau, il s'empara de sa bouche. Leurs langues entamèrent une danse langoureuse tandis qu'il pressait le corps de Samantha contre les draps.

— George, murmura-t-elle quand le baiser prit fin. J'ai envie de toi.

— Moi aussi.

Le cœur battant, elle plongea dans les prunelles sombres qui reflétaient un désir égal au sien.

Le moment était enfin arrivé et elle se réjouissait que George fût le premier depuis Cameron.

Elle écarta les jambes pour qu'il puisse la pénétrer.

— Si tu veux que j'arrête…

— Non ! Je ne te demande pas de promesses, George. Continue !

Seul comptait le moment présent.

Poussant un gémissement sourd, il l'embrassa avec une sensualité qui lui donna le vertige. Sentant son sexe dressé contre son ventre, elle se cambra pour l'accueillir.

Il cria son prénom en s'enfonçant en elle.

Lorsqu'il se mit à bouger en elle, elle l'encouragea en portant ses hanches à sa rencontre.

— Plus vite ! supplia-t-elle.

— Non. Je veux prendre mon temps avec toi. Je veux me rappeler cet instant entre nous.

Elle s'agrippa à ses épaules comme si elle craignait de le laisser partir et que tout ceci ne soit qu'un rêve.

Les paroles de George l'excitaient.

Elle se sentait fondre de plaisir.

— C'est si bon, souffla-t-il contre son cou. Tellement bon !

Incapable de lui dire ce qu'elle éprouvait elle-même, elle le mordilla, lécha sa peau, enfonça ses doigts dans les cheveux sombres et pressa son corps contre le sien.

Ils bougeaient au même rythme, comme s'ils ne faisaient plus qu'un.

Les mains de George étaient si fortes et rassurantes que Samantha en aurait presque pleuré parce que jamais elle n'aurait cru qu'elle autoriserait un autre homme que son mari à entrer dans son lit.

Pourtant, elle n'avait pas l'impression de trahir qui que ce soit.

Il n'y avait rien de mal dans ce qu'elle partageait avec George.

— Tu es si belle, murmura-t-il à son oreille. Si sacrément belle !

— George…

Il la fit taire d'un baiser et posa les mains sur ses hanches de façon à accompagner leur mouvement et à la garder contre lui. Peu à peu, il la guidait vers la délivrance.

Cette délivrance à laquelle elle aspirait tant et qu'elle s'était refusée si longtemps.

Il ne fallut pas longtemps pour qu'elle accède au plaisir.

Cambrant le dos, elle poussa un grand cri et s'agrippa aux épaules de George qui se mit à aller et venir en elle de plus en plus vite jusqu'à la jouissance.

Epuisée, elle sentit qu'il roulait sur le côté et l'entraînait avec lui. Leurs deux cœurs battaient au même rythme et elle posa la tête sur la poitrine de George pour écouter ce bruit familier.

— Je ne vais pas rester, dit-il. Je sais que tu ne le souhaites pas et que cela ne se reproduira pas.

Elle lui caressa la joue.

— Non, reste.

— Je ne devrais pas.

— Un petit moment, alors. J'ai juste envie d'être dans tes bras.

— D'accord.

Enveloppée par ses bras puissants, elle ferma les yeux et ne tarda pas à s'endormir.

12.

Quand Samantha se réveilla, elle s'aperçut que George était parti. Il n'avait pas laissé de mot... Rien. Il s'était sans doute éclipsé parce que Adam n'allait pas tarder à rentrer. Joyce devait le déposer à 8 h 30, juste avant le départ pour l'école.

Bien qu'il ne soit que 7 heures, elle se leva et se rendit dans la cuisine. Autant commencer sa journée tout de suite. Elle se fit du café tout en se rappelant les lèvres de George sur sa peau.

Ce souvenir lui donna la chair de poule et elle sourit.

Jamais elle n'oublierait ces instants magiques. Lorsqu'ils avaient fait l'amour, elle ne lui avait réclamé aucune promesse d'avenir. C'était inutile et elle n'était pas certaine de pouvoir en faire elle-même.

Pendant que la cafetière se mettait en route, elle prit une douche, et elle était prête quand Adam arriva.

— Salut, maman! Oh là là, tu as une sale tête!

— Merci du compliment, lui dit-elle en ouvrant le réfrigérateur pour en sortir le déjeuner de son fils. Tiens!

— C'est pas la peine. Mamie m'a préparé un truc spécial.

Samantha remit sa boîte en place avec un soupir.

— Je vais commencer à faire les cartons, aujourd'hui. Alors ne fais pas une crise parce que j'aurai emballé la plupart de tes affaires. Je te rappelle que les déménageurs viennent dans deux jours.

— Maman, tu as oublié que tu as proposé d'accompagner ma sortie scolaire?

— Euh… Bien sûr que non !

— C'est pas grave, si t'es trop fatiguée. T'es pas obligée de venir.

Samantha serra son fils dans ses bras.

— Mais si, je vais venir, espèce d'andouille ! Viens, on y va !

Un sourire aux lèvres, Adam prit son sac à dos et sortit, sa mère sur ses talons.

Elle ne décevrait son fils pour rien au monde.

En circulant dans les salles de la galerie d'art, Samantha étouffa bon nombre de bâillements. Les enfants faisaient un bruit de tous les diables et elle aurait voulu enfouir sa tête sous un oreiller pour dormir pendant une bonne centaine d'années.

En réalité, on n'avait pas vraiment besoin d'elle, car ce n'étaient pas les parents accompagnateurs qui manquaient, mais elle ne reviendrait pas sur sa promesse.

Elle se traînait donc derrière le groupe qui lui avait été attribué, incluant Adam et deux de ses amis. Evidemment, elle avait hérité des élèves les plus turbulents…

Lorsqu'ils parvinrent dans la section où les enfants étaient autorisés à toucher les objets, un guide prit le relais et elle put enfin s'asseoir. S'adossant au mur, elle tâcha de garder les yeux ouverts.

— Vous avez l'air fatiguée, madame Doxtator.

Une autre mère la considérait avec sympathie et Samantha réussit à lui sourire faiblement.

— J'ai eu plusieurs nuits de garde d'affilée.

Seulement, ce n'était pas ce qui avait causé son épuisement…

— En plus, je suppose que vous préparez votre déménagement ? Je dois vous dire qu'Adam va manquer à ma fille. Où allez-vous ?

— A Thunder Bay. Je pars à la fin de la semaine,

mais Adam reste chez ses grands-parents jusqu'à la fin de l'année scolaire.

— Je comprends que vous soyez crevée ! Allez donc boire une tasse de café, je m'occuperai du troupeau.

Elle aurait eu besoin de plus qu'un café… Elle pensait à quelque chose d'un peu plus corsé, plutôt…

— Merci beaucoup. Je vais suivre votre conseil.

Samantha s'éloigna, l'esprit toujours envahi par George. Elle s'était promis de ne rien demander de plus que ce qu'elle avait eu, mais ce n'était pas facile.

Lorsqu'elle était montée dans l'hélicoptère, l'autre fois, l'expression de George l'avait un peu alarmée. Bien qu'il ait eu le courage de faire ce trajet jusqu'à Kincardine, elle savait que le crash de son avion le hantait toujours. Elle ne voulait pas l'inquiéter chaque fois qu'elle monterait en avion, surtout s'il avait déjà perdu sa fiancée à cause de cet accident, même si c'était d'une façon indirecte.

Elle savait ce que c'était et elle ne voulait pas que George souffre davantage par sa faute. Il ne le méritait vraiment pas !

Cette femme qui l'avait quitté parce qu'il risquait de rester handicapé n'était pas digne de lui et mieux valait pour lui qu'elle soit partie. Elle ne connaissait pas cette Cheryl, mais le mal qu'elle avait fait à George suffisait pour cerner quel genre de femme elle était.

C'était tout simplement odieux et il ne s'en était toujours pas remis.

Samantha ne voulait pas lui infliger une peine supplémentaire, mais il n'aurait pas été juste non plus qu'elle abandonne ses rêves pour lui.

Peut-être que s'ils s'étaient rencontrés deux ans plus tard…

Malheureusement, ce n'était le bon moment ni pour lui ni pour elle.

S'apercevant qu'elle avait pris la mauvaise direction, Samantha s'immobilisa. La cafétéria se trouvait de l'autre côté et elle s'était aventurée dans une salle qui, à première vue, présentait des expositions d'art canadien.

Elle regarda autour d'elle. Elle était entourée d'objets

inuits, à ce qu'elle pouvait voir. Il y avait en particulier un tableau qui retint son attention tant il était imposant et coloré.

Il représentait un ours.

En s'approchant, elle déchiffra la signature du peintre. *Anernerk Kamut.* C'était une œuvre de la grand-mère de George !

Le titre était écrit en inuktitut, mais en dessous, la traduction anglaise disait simplement « George ».

Samantha sourit.

Elle avait peint ce tableau pour son petit-fils et représenté son totem.

L'ours était symbole de guérison, à ce qu'on lui avait dit.

Tournant les talons, Samantha se mit en quête de son café, ne sachant trop si elle devait croire aux signes.

George avait commencé à faire ses cartons en vue de son départ pour Thunder Bay. Après plusieurs nuits passées à se tourner et à se retourner dans son lit, il était épuisé.

Samantha.

Il lui avait dit ce qu'il s'était passé avec Cheryl. Ses sœurs elles-mêmes ignoraient la vraie raison de leur rupture, tant il avait honte de sa faiblesse.

Mais Samantha avait percé sa carapace. Il avait encore le goût de sa peau sur les lèvres, il entendait ses soupirs de plaisir et il se rappelait cette roseur qui lui montait aux joues lorsqu'il la caressait.

Il adorait qu'elle rougisse aussi facilement !

Sous des dehors de femme forte, elle était douce et féminine. Il y avait en elle une vulnérabilité qui le touchait profondément. Mais pour l'aider, il aurait fallu qu'il abaisse ses propres défenses et cela l'effrayait.

En faisant l'amour avec elle, il avait espéré pouvoir se rassasier d'elle et l'oublier, mais il s'était trompé.

Il ne serait jamais assouvi… Etait-il possible que Samantha éprouve la même chose ?

Lorsqu'il l'avait tenue dans ses bras, elle ne lui avait

rien demandé. Tout ce qu'elle voulait, c'était le plaisir qu'ils avaient partagé. Il avait dû faire un énorme effort de volonté pour la quitter, mais il savait qu'Adam allait rentrer et il n'aurait pas été bien qu'il trouve un homme dans le lit de sa mère.

En tout cas… pas encore.

Ni jamais, en fait ! Il n'y avait pas de place pour l'amour dans sa vie.

Il était 16 heures. Laissant échapper un grognement de frustration, il mit encore deux chemises dans sa valise et frotta ensuite ses yeux fatigués.

Dès qu'il les fermait, il revoyait Samantha.

Quel imbécile il avait été, de s'imaginer qu'en couchant avec elle une fois, il la chasserait pour de bon de ses pensées !

Tu es une vraie tête de mule, George Atavik.

La voix de sa grand-mère résonna dans sa tête. Il n'en avait vraiment pas besoin ! Pour l'instant, il devait surtout songer à faire ses cartons et à partir pour Thunder Bay où il travaillerait dans une ambulance avec un nouveau partenaire.

On frappa à la porte.

Tout en grommelant, il regarda par le judas — et l'espace d'un instant, son cœur s'arrêta de battre.

— Samantha ! Qu'est-ce que tu fais ici ? demanda-t-il en lui ouvrant.

— Je ne sais pas trop… Je peux entrer ?

Il s'écarta et elle pénétra dans sa modeste garçonnière.

— C'est un peu nu, chez toi, plaisanta-t-elle quand il eut refermé derrière elle.

— C'est un meublé que j'ai loué pour une période très courte, puisque je vais partir pour Thunder Bay, et ensuite… Je ne sais pas où j'irai.

Samantha cessa de sourire.

— Je croyais que tu voulais rester à Thunder Bay.

— J'ignore de quoi demain sera fait, expliqua-t-il en haussant les épaules. Tu ne devrais pas être avec Adam ?

— Je l'ai déposé chez mes beaux-parents après l'école.

— Ils le prennent souvent, non ?

— Ils essaient de passer le plus de temps possible avec lui avant que nous partions vers le nord. J'en profite pour faire les cartons sans qu'il soit dans mes jambes.

S'approchant de la kitchenette, George s'agrippa au comptoir comme si sa vie en dépendait. Il aurait voulu soulever Samantha dans ses bras et la déposer sur son futon pour lui faire comprendre ce qu'il ressentait exactement, mais il devait se contenir à tout prix.

— Tu veux boire quelque chose ?

— Qu'est-ce que tu as à m'offrir ?

— Bonne question. J'ai de l'eau et du lait pas très frais.

— Un verre d'eau suffira, lui répondit-elle en riant.

Il sortit une bouteille du réfrigérateur et la posa sur la table avec un verre. Samantha s'assit sur l'unique chaise tandis qu'il prenait place sur le futon.

— J'ai accompagné Adam à une sortie scolaire, aujourd'hui.

— Ah !

— Nous étions dans une galerie d'art et je suis tombée sur un tableau de ta grand-mère… Elle représentait un ours et le titre était George.

— Je comprends mieux la raison de ta visite.

Samantha rougit et secoua légèrement la tête.

— En fait, il y a une autre raison. Je voulais te parler de ce qu'il s'est passé entre nous.

— Je comprends, acquiesça-t-il avec un soupir. Je voulais le faire aussi.

— C'est vrai ?

Attendait-elle quelque chose de lui ? Espérait-elle qu'il se batte pour elle ? Abandonnant son futon, il s'assit par terre à côté d'elle bien que cette proximité le mette à la torture.

— Je comprends ce que tu ressens, Samantha. Je sais que tu ne peux pas…

Il s'interrompit, incapable de prononcer des paroles définitives.

— Je veux que tu saches combien ce qu'il s'est passé

entre nous est important pour moi, dit-elle en lui caressant la joue.

Il déposa un baiser léger sur ses lèvres, puis il s'écarta au prix d'un gros effort.

— Pour moi aussi, mais je sais que pour l'instant tu ne veux pas t'engager.

— C'est juste que je n'arrive pas à faire des projets d'avenir…

Elle hésita, comme si elle voulait dire autre chose, puis reprit :

— Je veux qu'on reste amis, George. Tu t'entends bien avec Adam et il t'adore.

— C'est un brave gosse.

Il n'osa pas lui demander si *elle* tenait à lui. S'il s'aventurait sur ce terrain, il risquait de ne plus se maîtriser.

Bats-toi pour elle, fit la voix de sa grand-mère.

Seulement, c'était trop difficile.

Samantha se leva sans avoir bu son verre d'eau et il se redressa en même temps qu'elle. Il réprima l'envie de la prendre dans ses bras et de la supplier de rester avec lui pour faire l'amour.

Elle resta immobile, comme si elle hésitait. Combattait-elle les mêmes démons que lui ? Il aurait voulu lui demander ce qui la retenait de faire des projets d'avenir ensemble, mais il se tut.

— On se retrouve à la base ce soir, alors, dit-elle en gagnant la porte.

— D'accord.

Elle s'en alla, non sans lui avoir jeté un dernier regard.

Quel lâche il faisait !

Resté seul dans son appartement pauvrement meublé, George ouvrit la fenêtre et sortit sur le minuscule balcon pour regarder le ciel. En voyant la traînée blanche laissée par un avion, il éprouva un pincement de regret, pour la première fois depuis le crash.

Les grands espaces lui manquaient, tout comme ce

sentiment de puissance qu'il éprouvait aux commandes de son avion.

Fermant les yeux, il se retrouva en imagination dans le cockpit de son petit Cessna. Il survolait les sommets enneigés des montagnes et les eaux immobilisées par les glaces autour de l'île de Baffin. La piste d'atterrissage de Cape Recluse étincelait au soleil quelques heures par jour seulement, mais ces heures étaient merveilleuses.

Ambrose était toujours à côté de lui, sauf s'il se trouvait à l'arrière auprès d'un patient.

A la maison, ses sœurs, ses parents et ses amis l'accueillaient. Ensuite, il n'y avait plus eu que Cheryl…

Ils avaient été partenaires, meilleurs amis puis amants.

A l'époque, il pensait que la vie ne pouvait pas être plus belle. Ils étaient heureux et ils faisaient des projets. Bientôt, il pourrait fonder une famille comme Charlotte et Mentlana.

Mayday! Mayday!

George serra la rambarde métallique. Il lui semblait que le monde s'écroulait sous ses pieds. De nouveau, il se trouvait dans l'avion, ses instruments tombaient en panne, les clignotants s'allumaient, l'appareil piquait du nez vers le sol et Ambrose lui hurlait de se préparer à l'impact.

George ne se rappelait plus le crash, seulement qu'il s'était réveillé transi de froid. Il avait été éjecté du cockpit et il était étendu dans la neige. Il souffrait mais il pouvait encore bouger.

Ensuite, il avait pris conscience qu'il était *seul*.

Lorsqu'il avait voulu se lever, il s'était aperçu que ses jambes refusaient de lui obéir. Il s'était donc servi de ses bras pour ramper vers l'avion. Ses poumons brûlaient à chaque inspiration d'air glacé.

Tandis qu'il se construisait un abri de fortune, le vent et la peur de la mort le harcelaient. Il avait compris que personne ne viendrait le chercher.

Le froid mordait sa chair, la tempête de neige faisait rage et il allait mourir…

La mort l'avait traqué dans cette toundra hostile, mais

finalement, elle avait perdu la bataille. Au moment où il allait abandonner tout espoir, les secouristes l'avaient trouvé et ramené à Iqaluit.

Ouvrant les yeux, George regarda de nouveau le ciel. La traînée blanche s'était dissipée dans l'atmosphère. Il se demanda où allait cet avion, tout comme il se demandait où il allait lui-même.

Remonterait-il jamais dans un cockpit ?

La perspective de vivre avec Samantha lui donnerait-elle cette force ? Comment pourrait-il lui demander de vaincre ses craintes, si les siennes le submergeaient ?

Il détestait ce que Cheryl lui avait fait, mais il ne pouvait la tenir pour responsable de ses problèmes actuels.

Il était seul en cause.

Il en voulait à Samantha de ne pas entrevoir pour eux un avenir commun, il s'en voulait de ne pas se battre pour elle.

S'il la laissait partir, il était le dernier des imbéciles.

13.

Quand Samantha aperçut George parmi la foule, son cœur fit un bond dans sa poitrine.

Elle ne l'avait pas vu depuis trois semaines. Ce dernier soir, après qu'elle était passée chez lui, ils avaient été tous les deux de garde. Mais il n'y avait eu aucun appel et George avait étudié pendant qu'elle s'acquittait de son travail administratif.

Et puis il était parti.

Le lendemain, elle avait trouvé une grosse enveloppe dans son casier. Elle contenait un DVD de *La Kermesse de l'Ouest* avec un message qui disait combien il regrettait de ne pas l'avoir regardé avec elle.

Son cœur s'était quasiment brisé en deux.

Ensuite, elle avait eu tout le temps de se reprocher sa stupidité. Le départ de George avait laissé un vide dans sa vie, tout comme la mort de Cameron.

Elle l'aimait… Malgré tous ses efforts, elle était tombée amoureuse.

En arrivant à Thunder Bay, elle avait été très occupée par son installation. Ses sœurs comblaient un peu sa solitude, mais le soir, dans son lit, ses pensées revenaient sans cesse à George.

Ensuite, elle avait pris son poste à l'aérodrome et on l'avait affectée dans une équipe. Elle s'entendait bien avec ses collègues, mais… ce n'était pas comme avec George ; avec lui, on aurait presque pu parler de télépathie.

Elle savait que de son côté, il était dans une base terrestre en plein centre de Thunder Bay. Chaque fois qu'elle entendait une sirène dans le lointain, elle se demandait s'il se trouvait dans l'ambulance…

Elle pouvait bien se reprocher d'être obsédée à ce point par lui, mais comment y remédier ?

Et maintenant, elle le voyait enfin pour de bon !

Comme s'il sentait qu'on l'observait, il leva les yeux et l'aperçut. Samantha retint son souffle, espérant qu'il n'allait pas se détourner et l'ignorer.

Mais ses yeux sombres pétillèrent et il lui sourit avant de se frayer un chemin jusqu'à elle.

— Salut à toi, belle inconnue !

Son amabilité la détendit, mais elle se sentit quand même mal à l'aise une fois en face de lui. Elle ne savait pas si elle devait se blottir dans ses bras… ou juste lui serrer la main.

Au final, elle décida de ne rien faire du tout, et préféra affecter un ton léger :

— Salut ! Comment ça va, pour toi ?

— J'ai été très occupé. Et toi ?

— Sans doute moins que si je travaillais à terre, mais j'ai une bonne équipe. Tu t'entends bien avec la tienne ?

— Elle n'est pas mal… mais moins bien que toi.

— Je pensais à peu près la même chose, justement. On était plutôt bons, tous les deux.

— Adam est avec toi ?

— Pas encore. Joyce me l'amène dans deux jours.

— Tu dois être aux anges.

— Oui, mais je tenais à ce qu'il termine son année dans la même école.

Elle aurait voulu lui demander où il habitait, et aussi si elle pourrait le voir. Il y avait tant de choses qu'elle aurait souhaité savoir !

— Est-ce que tu sais pourquoi on nous a réunis ? lui demanda-t-il.

— Je n'en ai aucune idée. Ecoute, George, il faudrait…

— Est-ce que tout le monde peut s'asseoir ? demanda l'infirmier-chef, sur l'estrade.

Samantha réprima un grognement de dépit.

— On y va ? dit-elle.

Ils prirent place dans le fond de la salle. Assise bien droite sur son siège, Samantha était très consciente de leur proximité. La situation était extrêmement embarrassante.

Mais qu'est-ce qui n'allait pas, chez elle ? Rien ne se passait comme il l'aurait fallu. Elle *devait* lui dire ce qu'elle ressentait… Il suffisait de lui prendre le bras et lui avouer qu'elle l'aimait.

Elle méritait d'être heureuse, et lui aussi.

Elle méritait une seconde chance, et lui aussi.

Au lieu de cela, elle ne dit pas un mot pendant que le directeur d'Air Ambulance s'adressait à eux.

— Merci d'être venus. Je vous ai convoqués aujourd'hui parce qu'un grand incendie de forêt s'est déclaré au nord du lac Nipigon. Les canadairs sont déjà sur place, ainsi que les pompiers, mais il y a plusieurs villages isolés situés dans la zone de feu.

Une carte fut projetée sur un écran blanc, montrant l'emplacement des villages environnés par les flammes.

— Bon sang ! jura George entre ses dents.

— Tu n'avais jamais vu ça auparavant ? lui demanda-t-elle.

— Il n'y a presque pas d'arbres, dans le Nunavut.

— Nous avons besoin de volontaires pour évacuer les gens, continua le directeur. La plupart de ces petites communautés comportent moins de cinquante personnes et nous pourrons les transporter dans nos avions. L'armée se chargera des endroits plus peuplés. Les équipes au sol accueilleront les appareils à l'atterrissage. Les urgences des hôpitaux nous attendent de pied ferme. Discutez avec vos chefs d'équipe, prenez vos postes, et revenez-nous sains et saufs.

Quand la foule se dispersa, George se tourna vers Samantha.

— Samantha…

— Oui ?

Elle espérait qu'il allait lui faire part de ses sentiments, mais George se frottait la nuque comme s'il hésitait à parler.

— Fais attention à toi, dit-il enfin.

— Toi aussi.

Il déposa un rapide baiser sur sa joue avant de s'éloigner. Elle le suivit des yeux jusqu'à ce qu'il sorte de la salle. De nouveau, elle se maudit de n'avoir rien dit.

Comme toujours, elle avait emprunté la voie la plus lâche !

Et si une seconde chance ne se présentait jamais ?

Mais pour l'instant, elle avait une tâche à accomplir.

L'estomac noué, George quitta la base. Bien que la zone sinistrée soit située à des kilomètres, il sentait l'odeur du feu et s'il se tournait vers le nord, il pouvait apercevoir un nuage de fumée.

Il avait vu des incendies de forêts à la télévision, il avait lu des articles à ce sujet dans les journaux, mais ce n'était pas la même chose de se retrouver sur le terrain.

Quittant la fumée des yeux, il vit Samantha et son équipe qui grimpaient dans le camion qui allait les transporter jusqu'à l'aéroport.

Elle lui manquait.

Le soir où il était allé chez elle, il avait voulu lui dire qu'il l'aimait et qu'il ferait n'importe quoi, y compris combattre sa peur, pour être avec elle.

Seulement, ils avaient fait l'amour et plus rien d'autre n'avait compté.

Bien sûr, il aurait pu lui parler lorsqu'elle était passée le voir avant de partir pour Thunder Bay. Mais elle s'était dite incapable de faire des projets d'avenir et il s'était tu.

En arrivant là-bas, il avait voulu la retrouver, partir à sa recherche dans les rues, mais son travail était prenant et la ville immense.

Il s'efforçait de se focaliser sur son métier, mais Samantha l'obsédait toujours autant. Pour l'instant, il devait surtout chasser de son esprit l'idée qu'elle allait monter dans un avion et atterrir dans une zone à évacuer.

— Tu viens, Atavik ? cria un membre de son équipe.

— J'arrive !

Il lança un dernier regard en direction du camion avant que le véhicule ne disparaisse à un coin de rue.

A cet instant, il se fit une promesse : quand tout cela serait terminé et que l'avion de Samantha atterrirait, certaines choses allaient changer, et pour de bon.

Parce que parfois, on n'avait pas le droit de laisser échapper une seconde chance.

14.

La fumée était épaisse, mais Samantha y était habituée. Lorsqu'elle atterrit près du premier village, elle regarda avec admiration les gros canadairs qui venaient du lac Nipigon pour décharger des tonnes d'eau sur les flammes.

Ils avaient tous leur mission à accomplir.

Un peu plus tard, en se posant à Thunder Bay pour déposer des rescapés, elle vit une rangée d'ambulances attendant les blessés qui devraient être transportés à l'hôpital.

George ne se trouvait pas dans celle qui était affectée aux habitants du village qu'elle avait secourus. Elle fut un peu déçue, mais elle était certaine qu'il se trouvait là où on avait besoin de lui.

Tout comme elle.

Après s'être assuré que son avion avait été réapprovisionné en essence, son copilote lui fit signe que la tour de contrôle leur avait donné l'autorisation de repartir. Cette fois, ils devaient aller un peu plus au nord, en plein cœur de l'incendie.

La fumée était encore plus épaisse et il était difficile de voir à travers, mais leurs instruments leur indiquaient la bonne direction. De temps en temps, ils entrevoyaient le ciel et un bout de terre en dessous d'eux.

— L'incendie a fait pas mal de dégâts, constata Jimmy, son copilote. J'en ai rarement vu d'aussi importants.

— Ah bon ?

— Rassure-toi, on sauvera tout le monde. On est entraînés pour ça.

Samantha hocha la tête. Elle se rappelait toutes les simulations qu'elle avait dû faire avant de commencer. Les évacuations en cas d'incendies étaient comprises dans le lot.

— Le village ne comprend qu'une dizaine de personnes ? demanda-t-elle. Ça semble très peu.

— C'est un ancien comptoir, du temps où les trappeurs faisaient le commerce de la fourrure. C'est devenu une petite exploitation forestière. Il y a un médecin et quelques bûcherons.

— Je trouve bizarre qu'ils n'aient pas leur propre avion alors qu'ils sont très isolés.

— Ils n'en ont pas besoin, puisqu'on est là !

— Un point pour toi, lui répliqua-t-elle avec un sourire.

Elle ne put s'empêcher de penser à ce que George lui avait dit sur sa vie d'autrefois. Il lui avait raconté qu'il faisait équipe avec sa sœur Charlotte, qui était médecin. Tous deux savaient piloter et ils effectuaient régulièrement des vols.

Normalement, il aurait dû diriger sa propre équipe et se trouver aux commandes de son avion… Parce que c'était un homme hors du commun.

Elle sourit. Quand tout ceci serait terminé, elle irait le trouver et elle lui dirait qu'elle voulait vivre avec lui.

Bien sûr, elle faisait prendre des risques à son cœur. Il pouvait arriver quelque chose à George, tout comme à elle.

Mais elle ne supportait plus de vivre dans la crainte. Etait-ce ainsi qu'elle élèverait son fils ? Elle ne voulait pas qu'il passe son existence à éviter le danger.

Elle voulait qu'il *vive* !

Et elle aussi, elle méritait de vivre.

Cameron avait souhaité qu'elle aille de l'avant. Avant sa mort, il lui avait dit qu'après lui, elle devrait aimer de nouveau. Elle ne devait pas traîner des regrets, mais trouver le bonheur.

George était le seul homme capable de le lui procurer.

Il était temps de se lancer !

Et même si ses sentiments pour lui n'étaient pas réciproques, tant pis, elle saurait au moins où elle en était et elle pourrait avancer.

— On arrive, annonça Jimmy.

— Bien reçu.

Jetant un coup d'œil vers le sol, elle aperçut la piste d'atterrissage qui avait été dégagée dans la forêt. A environ trois kilomètres de cette piste, une fumée noire s'élevait au-dessus des fourrés. Les flammes n'étaient pas très hautes, mais elles progressaient vite.

L'avion eut un soubresaut.

— Bon sang ! cria Jimmy. Ce n'était pas une turbulence.

Samantha s'efforça de stabiliser l'appareil, mais il fut de nouveau secoué. Le tableau de bord se mit à clignoter et une alarme retentit… *Le moteur était en train de rendre l'âme.*

— Mayday, mayday. Ici Medic Air 150 au camp de Tigawki, nous avons une panne de moteur et nous allons devoir faire un atterrissage forcé sur votre piste. Dégagez la zone ! Je répète : dégagez la zone !

— Bien reçu, Medic Air 150.

Les doigts crispés sur les commandes, Samantha se prépara à un atterrissage d'urgence. Elle l'avait fait en simulation, mais ce n'était rien en comparaison de la réalité.

Ils s'approchaient du sol plus vite qu'elle ne l'aurait voulu. Il y eut un grincement quand Jimmy parvint à sortir le train d'atterrissage manuellement.

Samantha fit une prière.

Elle demanda à Dieu de ne pas la laisser mourir parce que Adam avait encore besoin de sa mère.

L'appareil vibra, il y eut un choc puis le froissement du métal. Au dernier moment, elle songea à George et à la chance qu'elle n'avait pas saisie.

— Bob a inhalé de la fumée. Son équipe est coincée au sol, annonça Finn, le partenaire de George, en s'essuyant le front.

George toussa dans son poing.

— La dernière évacuation à laquelle il a procédé était un peu trop proche du feu ?

— C'est ça, mais tout le monde a pu être déplacé.

— Tant mieux.

George perçut le grondement d'un moteur au-dessus de sa tête. L'incendie se rapprochait de Thunder Bay, aussi les canadairs commençaient-ils à prendre de l'eau dans le lac Supérieur pour combattre ces flammes envahissantes.

La fumée était plus épaisse, et quand un avion de l'armée se posa, amenant avec lui de nouveaux rescapés, une activité fébrile régna aussitôt sur l'aéroport.

George regagna la base, mais dès qu'il eut franchi la porte, il sut que quelque chose n'allait pas. Le directeur secouait la tête en jurant.

— Que se passe-t-il ? demanda George.

Mais il le savait déjà. Un avion s'était crashé — et il espérait que ce n'était pas celui de Samantha.

Il adressa une rapide prière au ciel.

— Medic Air 150 a eu une panne à l'approche du camp de Tigawki. Tous mes avions sont sortis, sauf celui de Bob.

George sentit le sol trembler sous ses pieds.

C'était l'appareil de Samantha !

— Il y a des survivants ?

— On n'en sait rien puisque les communications ont été interrompues. Nous savons juste que le pilote a tenté d'atterrir. Nous essaierons de les aider dès que ce sera possible, mais l'avion militaire est trop large pour se poser là-bas.

George réprima un hurlement.

Samantha pouvait être en vie… Non, elle était vivante, c'était sûr ! Si elle était morte, il l'aurait su.

— L'avion de Bob est disponible, dit-il.

— Il a inhalé de la fumée et nous n'avons pas d'autre pilote.

Courage ! fit la voix de sa grand-mère, dans sa tête.

— Si ! dit George. Je suis là.

— Vous êtes pilote ?

— Oui, monsieur. Vous pouvez consulter mon dossier, mais j'ai ici de quoi vous convaincre.

Sortant son portefeuille d'une poche intérieure, George montra sa licence au directeur.

— Confiez-moi cet avion et l'équipe qui va avec, dit-il, et je vais tous les ramener.

— Très bien, Atavik. On vous donnera l'autorisation de décollage dès que vous serez prêt. Je m'occupe du réapprovisionnement en essence !

George alla prévenir la copilote de Bob et les infirmiers qui travaillaient avec eux. Tous se portèrent volontaires.

Peu après, il grimpait dans l'avion, le cœur battant à tout rompre.

Il pouvait le faire !

Lorsqu'il prit les manettes, ses mains se souvinrent de tout. *Tu peux le faire. Tu peux la sauver. Elle ne mourra pas,* l'exhorta la voix de sa grand-mère.

— Vous êtes prêt, George ? demanda Christine, sa copilote.

— Tout le monde l'est ?

— Oui. On attend juste l'autorisation.

George brancha les appareils électroniques, puis il fit démarrer le moteur.

— Tour de contrôle, ici Medic Air 60. On attend votre feu vert.

— Medic Air 60, ici la tour de contrôle. Vous pouvez emprunter la piste 3.

— Bien reçu.

George sortit du hangar et se dirigea vers la piste. Le grondement familier du moteur emplissait ses oreilles pendant qu'il s'engageait sur le tarmac et prenait de la vitesse. Une minute plus tard, l'appareil décollait. George perdit bientôt de vue la forêt verte à mesure qu'il s'élevait vers un ciel embrumé par la fumée.

Il y eut une sorte de ronflement quand les roues rentrèrent dans leur logement.

Une fois parvenu à une hauteur raisonnable, George stabilisa l'appareil.

— Le dernier rapport dont nous disposons nous informe que Medic Air 150 s'est crashé dans les bois, en bout de piste, l'informa Christine. Nous devrions avoir la place d'atterrir.

Concentré sur le ciel, George se contenta de hocher la tête. Il ne voulait pas envisager que Samantha soit blessée ou perdue dans la forêt comme il l'avait été dans la neige, à la merci des éléments.

Non, elle n'était pas coincée sous des débris d'avion !

Elle s'en était sortie !

Il ne leur fallut pas longtemps pour parvenir à destination, mais pour George, cela dura une éternité. La fumée était épaisse mais il voyait les canadairs qui lâchaient leur chargement d'eau sur les flammes.

— Tigawki, ici Medic Air 60. Nous demandons l'autorisation d'atterrir.

George attendit la réponse, espérant que les communications n'étaient pas interrompues.

— Medic Air 60, ici Tigawki. Vous pouvez vous poser. On est ravis de vous voir ! Nous avons plusieurs infirmiers blessés. Notre médecin s'occupe du triage, mais certains sont bien amochés.

Le cœur de George s'arrêta un instant de battre.

— Bien reçu.

— On est prêts pour l'atterrissage, dit Christine.

De nouveau, un ronflement se fit entendre quand le train d'atterrissage sortit de son logement et George amorça la descente.

Christine jura tout bas lorsqu'ils aperçurent la carcasse fumante de Medic Air 150, à la lisière des bois.

Concentre-toi.

George atterrit et l'avion s'arrêta en bout de piste.

Dès qu'il fut immobilisé, l'équipe rassembla son matériel et sauta du cockpit. Le médecin du camp courait vers eux, poussant devant lui un brancard sur lequel quelqu'un était étendu.

La gorge de George se serra.

Deux infirmiers qui venaient d'arriver avec lui prirent en charge le blessé tandis que George s'éloignait en direction de l'épave. On se serait cru dans une zone de guerre. Comme si une bombe était tombée, les arbres qui entouraient la piste avaient été décimés. De gros troncs étaient à terre et des feux de broussailles brûlaient ici ou là. La piste était complètement défoncée à l'endroit du crash. Quant à l'avion, il était brisé en trois morceaux fumants.

Un grondement puissant marqua le passage d'un canadair.

— Emmenez les blessés à bord ! cria George.

Jimmy, le copilote de Samantha, était étendu sur un brancard.

— Que s'est-il passé ? lui demanda George.

— Panne de moteur, articula Jimmy en grimaçant.

— Est-ce qu'il y a… Est-ce que tout le monde… ?

Il ne parvint pas à terminer sa phrase.

— Tout le monde est vivant. Mike est le plus touché.

Deux bûcherons arrivèrent et George leur demanda de transporter Jimmy dans l'avion pendant qu'il s'occupait des autres victimes de l'accident tout en cherchant Samantha des yeux.

Il devait la trouver, la mettre en sécurité et ne plus jamais la quitter. Cette pensée ancrée dans sa tête, il slaloma parmi les débris et les branches brisées. Il se dirigea en premier vers une partie importante du fuselage et il parvenait à la lisière des bois lorsqu'il vit quelque chose à travers la fumée. Il y avait une forme étendue sur le sol et quelqu'un vêtu de l'uniforme des ambulanciers était accroupi à son côté.

A son approche, cette personne se redressa et il reconnut… Samantha.

Dès qu'il la vit, George se détendit d'un coup. Elle n'avait pas été coincée sous une masse de ferraille ! Elle allait bien, elle était vivante, et elle s'occupait même des blessés.

George adressa une prière silencieuse de remerciement au Ciel. Mais en la rejoignant, il remarqua qu'elle avait la tête bandée et qu'un peu de sang suintait à travers le bandage.

Elle était en train de fouiller dans une trousse de premiers secours.

— Tu as besoin d'aide ? lui demanda-t-il.

Elle se tourna vivement vers lui, les yeux écarquillés.

— George ? C'est toi, ou j'ai des hallucinations ?

— C'est bien moi et tu ne délires pas.

— Tant mieux ! L'espace d'une seconde, j'ai cru que j'avais subi une commotion cérébrale.

— Je peux jeter un coup œil sur ta blessure ?

— Si ça te tente…

En quelques gestes habiles, il défit le pansement et fit la grimace en examinant la balafre qui tailladait le front de Samantha.

— Tu vas avoir besoin de points de suture. Le mieux est qu'on t'emmène à l'hôpital pour qu'on te fasse une radio.

— Tu es certain d'être bien réel ? fit-elle avec un petit rire.

— Absolument !

— Mais comment es-tu venu ?

— Par les airs.

— Dans un avion ?

— Je n'ai pas d'ailes, à ma connaissance. Qui t'a soignée ?

— Il y a un médecin, au camp. Il m'a bandé la tête et ensuite on s'est vite occupés des blessés les plus graves.

Samantha tituba et George la soutint aussitôt.

— Ça va ?

— Oui. Je suis juste un peu étourdie, affirma-t-elle en s'affaissant contre lui. Je crois que l'adrénaline m'a aidée au début, mais ses effets commencent à s'estomper.

— On va t'évacuer.

— Où est ton brancard ?

— Trop loin. Si tu es d'accord, je vais te porter.

Sans attendre sa réponse, il la souleva de terre et elle noua ses bras autour de son cou.

— J'ai vraiment la tête qui tourne.

— Tu souffres certainement d'un traumatisme crânien, mais je ne suis pas médecin, alors ne me crois pas sur parole.

— Tu as peur que je te fasse un procès pour mauvais diagnostic ?

— Quelque chose comme ça, lui répliqua-t-il en la serrant contre lui.

Elle tremblait et il trouvait cela inquiétant. Il supportait difficilement qu'elle souffre.

— Si je m'évanouis, je tiens à te remercier d'être venu me chercher, lui dit-elle.

Il allait lui répondre, mais elle émit un gémissement et posa sa tête sur son épaule. George la porta jusqu'à l'avion le plus vite possible. L'équipe installa Samantha sur un brancard.

Elle rouvrit brusquement les yeux.

— Bon sang !

— Qu'est-ce qu'il y a ? demanda George.

— Adam arrive demain matin. Comment… ?

— Ne t'inquiète pas, je m'occuperai de lui.

— George…, commença-t-elle, les larmes aux yeux.

— Tout va bien.

— Merci d'être venu me chercher, répéta-t-elle.

— Tu me l'as déjà dit, lui dit-il d'une voix douce en repoussant ses cheveux en arrière.

— Je l'avais oublié, mais merci quand même.

— Je serai toujours là pour toi, dit-il pendant qu'on la transportait à l'intérieur de l'avion.

Il n'était pas certain qu'elle l'avait entendu, mais il le lui répéterait autant qu'il le faudrait — et il s'en réjouissait.

Il remerciait le ciel qu'elle n'ait pas vécu la même expérience que lui.

Serrant son totem au creux de sa main, il la suivit dans le cockpit, reconnaissant envers Dieu et les esprits qui l'avaient écouté.

Plus jamais il ne la laisserait partir.

15.

En s'éveillant, Samantha eut d'abord conscience d'une douleur atroce et lancinante, juste derrière ses yeux.

Qu'est-ce qui lui était arrivé ?

Lorsqu'elle voulut soulever les paupières, il lui sembla qu'elles écorchaient ses globes oculaires comme si elles étaient faites de papier de verre.

Une lumière blanche et brillante l'aveugla pendant un instant, puis la mémoire lui revint.

Le crash.

Elle voulut s'asseoir, mais ce fut un véritable supplice, comme si tout son sang avait afflué dans son crâne et débordait de tous côtés. Sans compter que la pièce tournait sur elle-même.

— Tu as une commotion cérébrale, alors à ta place, j'éviterais de faire des mouvements trop brusques.

Samantha se tourna vers George qui était assis près du lit. Des cernes noirs soulignaient ses yeux, il n'était pas rasé et ses cheveux étaient en bataille.

— Combien de temps suis-je restée inconscience ? demanda-t-elle.

— Tu as eu des moments de conscience et d'inconscience. Le traumatisme était plutôt sévère, mais maintenant que tu es réveillée, je suis sûr qu'ils vont te faire marcher.

Samantha fit la grimace.

— Et Adam ?

— Je suis allé les chercher à l'aéroport, Joyce et lui. Ils sont à la cafétéria, mais on a eu du mal à faire sortir Adam de ta chambre. Il a accepté d'aller manger un morceau parce que je lui ai promis de veiller sur toi.

Samantha émit un petit rire et grimaça de douleur.

— Aïe ! Ça fait mal, de rire !

— Surtout quand on a des côtes brisées. Cet abruti de médecin du camp prétendait t'avoir examinée… Mon œil ! Tu aurais pu avoir une perforation du poumon !

Samantha leva les yeux au ciel.

— Tu exagères. Mais j'imagine que je suis couverte de bleus. Comment vont les autres membres de l'équipe ?

— Ils se remettent doucement. On était un peu inquiets pour Mike. Sa trachée était écrasée, mais les médecins l'ont opéré et tout va bien.

— Crétin de moteur ! On dirait que je suis maudite… D'abord cette panne, près de Goderich, et maintenant ça.

— Je reconnais que tu as eu ta dose, admit George en riant.

Elle lui sourit et se rappela soudain ce qu'il lui avait dit sur le lieu de l'accident.

— Tu as volé !

— Exact.

— Je croyais que tu ne pouvais pas… que tu ne voulais plus…

George posa sur elle un regard malicieux.

— J'ai ma licence, tu sais.

— Tu vois très bien ce que je veux dire ! Sans cette perfusion, je te frapperais.

— Disons que certaines choses méritent qu'on oublie sa peur.

Elle n'était pas sûre d'avoir bien compris.

— Qu'est-ce que tu veux dire ?

De nouveau, il émit un petit rire.

— Ma frayeur a cédé le pas à une angoisse encore plus grande.

Le cœur de Samantha fit un bond dans sa poitrine.

— Ah bon ?

Il se pencha pour lui murmurer à l'oreille :

— Je ne supportais pas l'idée de te perdre.

— Moi ? fit-elle, les larmes aux yeux.

— Oui, toi, dit-il en lui prenant la main. L'idée que tu pouvais mourir alors que j'aurais pu te sauver était bien plus effroyable que la perspective de voler.

— Est-ce que tu dis ce que je pense que tu dis ?

George porta la main de Samantha à ses lèvres.

— Je t'aime, Samantha Doxtator. Je pense que je suis tombé amoureux de toi dès la première seconde. Je ne voulais pas l'admettre. J'avais eu si mal que je ne pensais pas pouvoir aimer encore. Mais maintenant, je ne veux plus de non-dits. Je t'aime, je veux vivre avec Adam et toi aussi longtemps que tu me le permettras.

Samantha ne retint plus ses larmes.

— Je t'aime, George. Moi non plus, je n'aurais jamais cru pouvoir trouver l'amour une seconde fois. Cette idée me terrorisait. Et puis je ne voulais pas que tu t'inquiètes pour moi à cause de mon métier.

— Ne pas vivre avec toi serait bien pire, Samantha. Une vie sans risque et sans amour ne vaudrait pas le coup.

— Je t'aime tant, George !

Il se pencha vers elle pour l'embrasser sur les lèvres. Ce fut un baiser bien trop chaste à son goût, mais elle aurait été bien incapable d'aller plus loin.

— Maman, tu es réveillée !

Samantha pleura de plus belle quand son fils se précipita dans la chambre. Ce dernier se jeta dans ses bras et enfouit son visage contre son épaule.

— Maman ! Oh ! maman !

— Tout va bien, tout va bien, répéta-t-elle en lui caressant la tête.

Joyce arriva à son tour. Les larmes aux yeux, elle s'approcha du lit et embrassa Samantha sur le front.

— On a eu peur de te perdre, ma chérie.

— Non ! s'exclama George. Jamais ! Elle est bien trop têtue pour ça.

Joyce lui sourit avant de se tourner vers Samantha.

— Je suis contente que vous vous soyez trouvés, tous les deux.

— Tu es au courant ? s'étonna Samantha.

— Je suis peut-être âgée, mais pas sénile. Je suis heureuse pour toi, Samantha. J'espérais depuis longtemps que tu rencontres quelqu'un. Merci, George, ajouta Joyce en lui souriant.

— Je vous adore, Joyce, balbutia Samantha. Vous savez… Je l'aimerai toujours. Jamais je n'oublierai Cameron.

— Je le sais bien, répondit Joyce en soupirant. Eh bien, je pense que je vais appeler papi pour le rassurer. Adam, nous allons chez ton autre mamie, parce que je repars demain.

— Oui, mamie, acquiesça le petit garçon.

Quand Joyce eut quitté la chambre, Adam s'inquiéta :

— Alors ? Il t'a fait sa demande ?

— De quoi parles-tu ?

George ébouriffa les cheveux d'Adam.

— Tu peux lui dire, puisque tu m'as volé ma surprise.

— Il veut se marier avec toi, affirma Adam, hilare.

— Il… Quoi ?

— Je n'ai pas de bague, dit George, mais si tu acceptes…

Il porta ses mains à sa nuque et défit la lanière de cuir à laquelle était suspendu son totem. Il la noua ensuite autour du cou de Samantha.

— Les ours guérissent et tu m'as guéri. Je veux que tu sois ma femme, Samantha. Qu'Adam et toi soyez dans ma vie, et pour longtemps.

Adam était visiblement aux anges.

Samantha caressa le totem, cet ours sculpté par la grand-mère de George.

— J'accepte, bien sûr !

— Ouais ! hurla Adam en effectuant une sorte de danse de Sioux. Je vais l'annoncer à mamie, ajouta-t-il en se ruant hors de la chambre.

George se pencha pour embrasser Samantha.

— Je t'aime et je te dois des excuses.

— Pourquoi ?

— Parce qu'en m'épousant, tu vas rentrer dans ma famille de fous. Je crains que nous ne fêtions plusieurs Noëls dans une région très froide.

Samantha se mit à rire.

— De la folie et du froid… Je crois que je le supporterai.

— Tu dis ça maintenant…

Ils s'embrassèrent de nouveau.

Pour la première fois depuis longtemps, Samantha se sentit le droit d'être heureuse.

Elle n'appréhendait plus l'avenir.

Elle avait tout ce qu'elle pouvait souhaiter. Dès qu'elle serait guérie, elle reprendrait son poste et travaillerait avec George. Leur vie serait heureuse, même si cela impliquait de s'installer dans le Nunavut.

Peu importait où elle vivrait, pourvu qu'elle soit avec George et Adam.

Epilogue

Un an plus tard

Dès que Samantha était sortie de l'hôpital, George s'était installé avec elle et Adam, sa nouvelle famille.

On lui remit une médaille pour avoir piloté un avion et sauvé toute l'équipe de Medic Air 150.

Une fois de plus, il trouva tout ce battage exagéré et Samantha s'amusa à lui répéter qu'il était un véritable héros.

Il demanda à être affecté au personnel aérien et il se remit à voler régulièrement, comme autrefois.

Il fallut deux mois à Samantha pour se remettre de son traumatisme. Elle eut des séances de kinésithérapie et dormit beaucoup.

George l'aida à vaincre sa peur et en septembre, on l'autorisa de nouveau à piloter.

Ils décidèrent de se marier à la date anniversaire de cet incendie qui leur avait permis de comprendre combien ils avaient été stupides, tous les deux. C'était le jour où leurs œillères étaient tombées et où ils avaient pris conscience de ce qu'ils perdraient s'ils n'écoutaient pas leur cœur.

Ils se marièrent sur les hauteurs de Thunder Bay, d'où ils pouvaient admirer la ville entière.

Vêtu d'un smoking identique à celui de George, Adam se tenait fièrement près de l'homme qu'il appelait à présent « papa ».

Samantha portait une robe ivoire à la fois simple et élégante. Tous ceux qu'ils aimaient assistaient à la cérémonie. Venue de Cape Recluse, la famille de George était réunie au grand complet. Du côté de Samantha, il y avait sa mère, ses sœurs, ses neveux et nièces, ainsi que les parents de Cameron.

Quand le prêtre les déclara mari et femme, Samantha noua ses bras autour du cou de George et l'embrassa sous les applaudissements de l'assistance.

Parfois, elle éprouvait l'envie de se pincer pour vérifier que tout cela était bien réel… Et ça l'était !

Après la cérémonie, George l'entraîna avec Adam et le photographe engagé pour l'occasion.

— Qu'est-ce que tu fais ?

— Je veux que nous soyons photographiés sur l'esplanade, pour qu'on voie derrière nous la ville où se trouve notre maison.

— Je t'aime, Atavik, dit Samantha en l'embrassant.

— Je t'aime aussi.

George attira Adam contre lui et ils sourirent tous à l'objectif.

Dorénavant, ils formaient une vraie famille.

KATE HARDY

Liaison secrète à l'hôpital

COLLECTION *Blanche*

HHARLEQUIN

Cet ouvrage a été publié en langue anglaise
sous le titre :
IT STARTED WITH NO STRINGS…

Traduction française de
MICHELLE LECOEUR

1.

— Bienvenue à Londres.

D'un geste désabusé, Aaron leva sa bière pour trinquer à sa propre santé.

Il était seul, assis au comptoir d'un club de salsa, et ne pouvait s'en prendre qu'à lui-même. Tim, avec qui il avait fait une partie de ses études, lui avait proposé de fêter son premier week-end à Londres. Mais évidemment, aller tranquillement boire un verre quelque part aurait été trop simple.

Aaron aurait dû se rappeler leurs soirées étudiantes. Tim avait toujours été un boute-en-train, finissant immanquablement entouré d'une foule de jolies filles. La trentaine bien sonnée, il était resté le même. Aaron n'avait aucune idée de l'endroit où il était passé, dans ce club bondé.

Aussi décida-t-il, une fois son verre terminé, d'aller à sa recherche. Il allait lui dire au revoir et retrouver l'appartement impersonnel qu'il louait près de l'hôpital.

Après tout, pourquoi attendre d'avoir fini son verre? Le reposant sur le comptoir, il se retourna pour chercher Tim.

Ce fut alors qu'il la vit.

Elle avait des cheveux absolument incroyables : noirs comme la nuit, ils étaient lisses, brillants, et lui arrivaient presque à la taille. Elle portait une robe courte, d'un rouge qui mettait sa chevelure en valeur et laissait apparaître une paire de jambes superbes. Les talons de ses escarpins avaient beau être d'une hauteur impressionnante, cela ne l'empêchait pas de danser sur un rythme de salsa.

Aaron poussa un soupir. Il n'était pas là pour ça, il ne

cherchait pas à rencontrer quelqu'un — même pas pour une aventure. Il allait avoir un nouveau poste et tout son temps serait pris par son travail.

Pourtant, il y avait chez cette femme quelque chose qui l'attirait irrésistiblement.

Alors qu'il la regardait danser, elle se tourna légèrement et il aperçut son visage. Elle était renversante : un visage en forme de cœur, des yeux noirs et la plus belle bouche qu'il eût jamais vue.

Son amie, qui dansait à côté d'elle, lui dit quelque chose à l'oreille et elle se mit à rire, rejetant la tête en arrière et révélant des dents d'une blancheur parfaite.

Subjugué, Aaron en oublia Tim et la raison pour laquelle il était là. Il oublia tout — excepté la femme à la robe rouge. Le bourreau de travail posé et sensé qu'il avait toujours été passa lui aussi aux oubliettes.

Sans même prendre conscience de ce qu'il faisait, il traversa la piste de danse en direction de la jeune femme, tel un insecte attiré par la flamme d'une bougie.

Et à cet instant, peu lui importait d'être brûlé.

— Tu es la meilleure amie que j'aie jamais eue. Et je t'aime, dit Joni en serrant Bailey dans ses bras.

— Je t'aime aussi, ma chérie, répondit Bailey en l'étreignant à son tour.

— Tu avais raison, c'était juste ce qu'il me fallait ce soir. Danser et boire du champagne.

C'était à peu de chose près ce qui avait été prévu au départ — si ce n'était qu'elle n'aurait pas dû se trémousser sur un rythme latino-américain, mais évoluer lentement sur un air de valse follement romantique, dans une robe de mariée élégante et vaporeuse.

Or voilà qu'elle dansait une salsa effrénée dans la robe la plus courte qu'elle eût jamais portée — sur l'insistance de son amie, naturellement.

— Bien sûr que j'ai raison, dit Bailey d'un ton léger.

Je suis médecin. Faire de l'exercice est l'un des meilleurs remèdes que je connaisse.

Joni rit.

— Tu es spécialiste de médecine sportive, je te soupçonne de ne pas être tout à fait impartiale.

— Mais c'est vrai, répondit Bailey. Je pourrais te citer des tonnes d'études sur le sujet. L'exercice régulier entraîne une diminution des risques de cancer et de démence, il agit comme antidépresseur, et améliore les résultats scolaires des ados. C'est positif sur toute la ligne.

— Alors comme cela, la salsa est un remède pour tout ?

Même pour les cœurs brisés ? Alors pourquoi souffrait-elle toujours au bout de six mois ? C'était pourtant elle qui avait annulé le mariage.

— Ajoute la gaieté de la salsa aux endorphines du rock, et éclate-toi !

Joni ne put s'empêcher de rire. Elle pouvait compter sur son inénarrable meilleure amie pour l'empêcher de se morfondre, en ce jour particulier qui aurait dû être celui de son mariage.

Elles ne travaillaient pas ensemble, puisqu'elle était spécialisée dans les maladies tropicales et infectieuses alors que Bailey s'occupait de médecine du sport, mais elles étaient les meilleures amies du monde depuis leur rencontre, le premier jour de leurs études. Elles s'étaient toujours soutenues dans les épreuves et avaient fêté chacun de leurs moments de joie ensemble.

— Ne te retourne pas, lui dit soudain Bailey. Il y a un type super sexy qui vient vers nous. Il était assis au bar, et il avance droit sur toi sans te quitter des yeux.

— Il se demande probablement comment une fille comme toi, dont les mouvements sont si coordonnés, peut danser avec quelqu'un comme moi qui ne connais même pas les pas.

— Je ne crois pas. A mon avis, il doit plutôt se dire : « Woaou, mais qui est cette bombe ? » Surtout avec tes cheveux lâchés.

Bailey enroula brièvement une mèche des cheveux de Joni autour de ses doigts.

— Toutes les femmes de cette salle seraient prêtes à tuer pour avoir tes cheveux, dit-elle. Moi comprise.

Des cheveux que Marty avait voulus qu'elle coupe. Son ex était le dernier d'une série d'hommes qui lui donnaient constamment l'impression qu'elle n'était pas assez bien. Après lui, elle s'était juré de ne plus commettre cette erreur : jamais plus elle ne sacrifierait sa carrière ou son estime de soi pour faire plaisir à quelqu'un.

— Allô, Joni ? Ici la Terre, dit Bailey en agitant les deux mains devant son visage pour la faire sortir de sa rêverie. Nous avons un accord. On ne broie pas du noir et on ne pense plus à Marty le ver de terre. Je crois que Mister Sexy va t'inviter à danser.

Joni secoua la tête.

— Même si c'est le cas…

— Tu diras oui, dit Bailey. Ordre du médecin. Danser avec un homme sexy est bon pour ta santé.

— Et si c'est toi qu'il invite ?

— Ce n'est pas pour moi qu'il vient, répondit Bailey avec un clin d'œil. Cet homme n'a d'yeux que pour toi.

Sans être intrusif pour autant, Aaron s'approcha assez près de la femme en robe rouge pour qu'elle puisse l'entendre malgré la musique.

— Vous dansez ? demanda-t-il.

— Je, euh…

Elle rougit, ce qui la rendit encore plus jolie. Elle n'était manifestement pas consciente de l'effet qu'elle produisait, ce qui était plutôt bon signe.

Une petite voix dans sa tête avait beau lui répéter que c'était de la folie, le reste de sa personne n'écoutait pas.

— C'est une excellente idée, dit son amie avec un large sourire. Allez danser, je vais en profiter pour reposer mes pieds, ils commencent à me faire souffrir.

152

Ce n'était probablement qu'un prétexte, il l'avait vue danser et elle n'avait pas le moins du monde l'air d'avoir mal. Mais il apprécia son tact.

— Bailey !

Il vit une lueur de panique dans les beaux yeux de la femme aux longs cheveux noirs, tandis que son amie se dirigeait vers une des chaises du bar en boitant ostensiblement.

A vrai dire, lui-même n'était pas loin de paniquer. Il savait par expérience qu'il valait mieux éviter certains contacts. Il ne voulait d'aucune émotion susceptible d'entraîner tôt ou tard de la souffrance.

Mais il était trop tard pour reculer. Trop tard pour douter.

— Bonsoir, je m'appelle Aaron, dit-il en lui tendant la main.

— Et moi Joni.

Elle lui prit la main et la secoua nerveusement.

— Désolée pour mon amie…

— Pas du tout, répondit-il avec un sourire. Ce serait plutôt à moi de m'excuser par avance, car le moins que l'on puisse dire est que je ne suis pas un très bon danseur.

— Moi non plus, dit Joni. C'est Bailey qui danse bien. Je vais essayer de ne pas vous écraser les pieds.

— Dans ce cas, concluons un pacte mutuel de non-agression.

Il lui prit la main pour l'entraîner sur la piste et ils évoluèrent, d'abord un peu maladroitement, sur le nouveau morceau. Peu à peu, la gêne s'évanouit et il se surprit à apprécier le rythme trépidant de la danse.

Puis ce fut le morceau suivant, et la musique ralentit. En quelques secondes, Joni fut contre lui, toute chaleur et douceur. Ils se balancèrent en silence, ses bras fins noués autour de son cou, tandis qu'il lui enlaçait la taille.

Il se pencha vers elle et lui sourit. Elle avait vraiment des yeux extraordinaires. En la voyant de plus près, il se rendit compte qu'elle n'était pas très maquillée et n'en avait d'ailleurs pas besoin. Un soupçon de mascara pour mettre ses longs, longs cils en valeur, et un rouge à lèvres d'un rouge tendre qu'il aurait voulu faire fondre sous ses baisers.

Comme cette pensée lui venait à l'esprit, il se rendit compte que leurs bouches se touchaient presque. Et quand il effleura ses lèvres, un choc électrique lui parcourut tout le corps. Elle lui rendit son baiser, et tout le reste s'évanouit. Il n'y avait plus qu'elle, lui, et la musique.

Mais le rythme changea de nouveau, redevenant très rapide, ce qui les força à s'écarter l'un de l'autre. Ils restèrent debout, immobiles, à se regarder. Etait-elle aussi étourdie que lui ?

Cela n'aurait pas dû arriver. Il n'avait pas l'habitude de faire ce genre de chose. Et pourtant…

— Je vais prendre un taxi pour rentrer, dit Bailey en les rejoignant.

— Il vaudrait mieux que j'y aille, moi aussi, dit Joni.

Mais il n'était pas prêt à la laisser partir. Pas encore.

— Ne pouvez-vous pas rester un peu ? demanda-t-il. Je vous raccompagnerai, si vous voulez.

Bailey se pencha à l'oreille de Joni.

— Reste et amuse-toi, dit-elle tout bas. Evite de trop penser et de tout analyser.

Elle lui prit la main et lui serra brièvement les doigts.

— Apprécie cette soirée pour ce qu'elle est : juste quelques danses, et un bon moment passé en compagnie d'un homme terriblement sexy. Rassure-toi, tu n'as pas de rouge à lèvres plein la figure, même si vous venez de vous embrasser fougueusement comme deux ados en goguette…

Joni se sentit rougir jusqu'à la racine des cheveux.

— Oh ! mon Dieu. Je me conduis comme une grue, fit-elle.

— Absolument pas. Tu prends juste un peu de bon temps, histoire de rendre cette journée moins pénible. C'est sans conséquences, puisque ce n'est rien de sérieux. Vis l'instant présent et amuse-toi. En bécotant Sexy Man, tu produis plus d'endorphines, et c'est bon pour toi.

On pouvait faire confiance à Bailey pour être directe.

Joni laissa échapper un sourire.

— Tu es sûre que tu ne veux pas que je vienne avec toi ?

— Certaine. Contente-toi de t'amuser. Et appelle-moi demain, d'accord ?

— Promis, répondit-elle en la serrant dans ses bras.

Puis elle se remit à danser avec Aaron, jusqu'à en avoir mal aux pieds.

— Si on faisait une pause pour prendre un verre ? fit-il alors qu'un morceau s'arrêtait.

Elle acquiesça et il la conduisit jusqu'au bar, une main à plat dans son dos en un geste protecteur.

Il avait d'excellentes manières, et il n'avait pas l'air du genre à rabaisser une femme pour se valoriser, comme ses ex. Mais elle se méfiait désormais de son propre jugement, elle s'était si souvent trompée dans le passé. Elle ne voulait plus voir les hommes avec des lunettes roses.

— C'est moi qui invite, dit-elle quand ils furent assis au bar. Bailey et moi buvions du champagne, tout à l'heure. Voulez-vous vous joindre à moi ?

— Avez-vous quelque chose à célébrer ? demanda-t-il.

Sans aucun doute. La fuite la plus heureuse de sa vie. Mais elle regrettait également l'anéantissement de tous ses projets. Cela aurait pu être si bien…

Durant à peine quelques secondes, Joni eut l'air triste. Puis Aaron se demanda s'il n'avait pas rêvé, car l'instant d'après, elle le gratifia d'un large sourire.

— On est samedi, n'est-ce pas une raison suffisante pour faire la fête ?

Quelque chose lui disait que ce n'était pas la véritable raison, mais il n'insista pas et se contenta d'accepter la coupe de champagne qu'elle lui tendait.

Ils se remirent ensuite à danser, jusqu'à ce qu'ils soient presque seuls sur la piste. Tim n'avait pas pris la peine de dire au revoir avant de partir — sans doute s'amuser ailleurs.

C'était son ancien collègue tout craché : un garçon un peu superficiel qui aimait avant tout prendre du bon temps.

Aaron n'était pas encore prêt à se séparer de Joni.

— Il ne doit plus y avoir un seul café ouvert dans les environs, pourquoi ne pas aller chez moi prendre un café ou un thé ?

Elle lui jeta un coup d'œil méfiant.

— Merci, mais…

— Je parle d'un café, et de rien d'autre, dit-il doucement.

Elle se mordit la lèvre.

— Désolée, mais je n'ai pas l'habitude de…

Comment une fille aussi splendide pouvait-elle être aussi sérieuse ? Peut-être n'était-elle pas encore remise de sa dernière rupture ? Ce qui faisait de lui l'homme idéal pour rebondir, d'autant plus qu'elle ne cherchait probablement pas une relation durable.

— Moi non plus, dit-il.

Entre les études et le travail — et encore et toujours le travail —, il n'avait tout simplement pas de temps pour autre chose.

— Je peux cependant vous assurer que je suis plus doué pour faire le café que pour danser, fit-il d'un ton léger.

Il avait travaillé un temps comme barman pour payer ses études, sa coûteuse machine à café italienne était le seul gadget dont il ne pouvait pas se séparer.

— Dans ce cas, je prendrais volontiers un café, répondit-elle.

En quittant la boîte de nuit, ils eurent la chance de saisir au vol un taxi qui passait.

Elle resta silencieuse à l'arrière de la voiture et il ne la poussa pas à parler, se contentant de mêler ses doigts aux siens. Depuis combien de temps n'avait-il pas tenu la main d'une fille dans un taxi ?

Mieux valait éviter ce genre de réflexion. Cette relation ne le mènerait nulle part. C'était simplement pour une nuit, pas pour la vie. Il en avait toujours été ainsi.

A peine étaient-ils arrivés à son appartement que Joni retira ses chaussures et demanda où était la salle de bains.

— Je serai dans la cuisine, dit-il en lui indiquant la porte.

Elle resta absente un bon moment avant de le rejoindre.

— Désolée de me montrer aussi impolie, mais pourrais-je avoir un verre de jus d'orange et un sandwich avec le café, s'il te plaît ?

Oh ! non. Il avait déjà connu ce genre de situation : quelqu'un qui avait eu une soudaine envie de boire et de manger après être allé en boîte, et qui s'était précipité dans la salle de bains.

Il était prêt à parier que ses pupilles n'étaient pas plus grosses que des têtes d'épingles.

Son expression dut le trahir, car elle lui sourit.

— Il est bien question d'aiguille, mais pas de drogue, dit-elle en retirant un objet de son sac. Je suis diabétique, cet appareil me sert à mesurer le taux de sucre dans mon sang. Il me suffit de me piquer le doigt. Actuellement, le résultat n'est pas excellent, sans doute parce que j'ai avalé deux coupes de champagne alors que je n'ai pas l'habitude de boire. Et que j'ai dansé toute la nuit. Un peu de glucides me permettrait de stabiliser mon taux de sucre. Rassure-toi, je ne vais pas m'évanouir dans tes bras. Un sandwich et un verre de jus de fruits suffisent à régler rapidement le problème.

Il se détendit. Le diabète expliquait beaucoup de choses. Au moins, il n'y aurait pas de complications, il ne se sentirait pas responsable de quelqu'un qui avait fait un mauvais choix de vie. A en juger par la clarté de ses explications, elle était tout à fait capable de s'occuper d'elle-même.

Pendant une seconde, il fut tenté de lui dire qu'il était médecin, mais il ne voulait pas la mettre dans l'embarras et lui versa un verre de jus de fruits.

— Merci.

Cela faisait quelques années qu'il n'avait pas travaillé en endocrinologie, mais il se rappelait qu'un en-cas à base de protéines et de glucides était recommandé pour quelqu'un dont le taux de sucre était trop bas.

— Que dirais-tu d'un sandwich au bacon ? dit-il, espérant ne pas l'offenser au cas où elle serait végétarienne.

— Ce serait super, merci beaucoup.

De nouveau, elle lui adressa un doux sourire.

— Est-ce que je peux faire quelque chose ?

— T'asseoir pour bavarder avec moi, si tu veux, dit-il en faisant griller le bacon. Que voudrais-tu comme café ? Cappucino, café latte, grand crème ?

Elle eut un air surpris.

— Tu peux vraiment faire tout ça ?

Il désigna sa machine à café.

— Comme tu vois, je ne me refuse rien.

— Un cappuccino serait parfait, répondit-elle en souriant. Mais pas de chocolat sur le dessus, s'il te plaît.

— Tu n'aimes pas ça, ou c'est lié à ton diabète ?

— Un peu les deux, en fait. Je suis probablement la seule femme au monde qui ne soit pas vraiment folle de chocolat. Ma meilleure amie me trouve bizarre.

Il rit et lui prépara son cappuccino. Elle but une gorgée et ses yeux s'arrondirent de surprise.

— C'est fabuleux. Qu'est-ce que tu utilises comme café ?

— Un mélange d'une épicerie fine de Manchester. J'espère trouver le même genre d'endroit à Londres.

— Tu viens juste d'emménager ?

Il hocha la tête.

— Je commence un nouveau travail.

Pour aller de l'avant. Evoluer. S'améliorer. Faire ce qu'il n'avait pas été capable de faire quand cela comptait. Il avait fait le vœu de passer le reste de sa vie à se rattraper. Mais il ne tenait pas à raconter à quelqu'un qu'il connaissait à peine pourquoi il se dévouait à ce point à sa carrière.

Aussi s'appliqua-t-il à leur préparer à tous les deux un sandwich au bacon, puis lui tendit une assiette.

Elle avala une bouchée.

— Mmm, tu es parfait, toi, dit-elle.

Puis elle releva la tête en rougissant.

— Désolée, fit-elle.

Il ne put résister à l'envie de la taquiner.

— Tu parlais au sandwich, ou à moi ?

— Au sandwich, répondit-elle sans hésiter. Quoique…
Puisque c'est toi qui l'as fait, tu dois également être parfait.

Elle fit la grimace.

— Décidément, j'ai bu un peu trop de champagne.

— Pas de problème, dit-il gaiement.

Il ne se rappelait pas avoir jamais connu quelqu'un d'aussi
adorable. Elle était si chaleureuse et si douce, il ne pouvait
qu'être attiré par elle.

Pour le coup, Joni était exactement le genre de femme
qu'il ne lui fallait pas. Plus il lui parlait, plus il se rendait
compte qu'elle n'était pas — contrairement à lui — du genre
à rechercher les relations de courte durée, sans complications. Il ne voulait rien de permanent, et il n'aurait pas été
honnête de lui faire croire qu'il pouvait lui offrir quelque
chose qu'il se savait incapable de lui donner.

Ils bavardèrent agréablement, jusqu'à ce qu'elle ait fini
son café.

— Je te ramène chez toi, dit-il.

Elle le regarda d'un air inquiet.

— C'est très aimable à toi, mais tu as bu pendant qu'on
dansait.

— Une petite bière, plus une coupe de champagne avec
toi. Et on vient juste de manger. Mon taux d'alcoolémie
est largement inférieur à la limite autorisée, cependant je
peux t'appeler un taxi, si tu préfères.

— Merci, mais je t'ai suffisamment mis à contribution.
Je vais l'appeler moi-même.

Il aurait dû la laisser partir, c'était l'option la plus raisonnable. Mais quelque chose en lui voulait à toute force
la garder encore près de lui, même pour quelques instants.

— Tu veux bien danser encore une fois avec moi ?
demanda-t-il.

Elle le fixa et il crut qu'elle allait refuser. Puis elle
hocha la tête.

— D'accord.

Il mit le disque d'une chanteuse de jazz à la voix douce et voilée, puis lui ouvrit les bras. Elle se blottit contre lui et posa la tête sur son épaule, tandis qu'il appuyait sa joue contre ses cheveux soyeux. Ils étaient si doux… Ce n'était vraiment pas une bonne idée, mais il ne pouvait pas s'en empêcher. Il y avait quelque chose en elle, quelque chose de différent, qui l'attirait irrésistiblement. Et qu'il ne pouvait pas définir.

Ils se mirent à tanguer en cadence. Fermant les yeux, il s'abandonna au plaisir de danser avec elle en la tenant contre lui.

Il n'aurait pu dire qui fit le premier mouvement, mais il l'embrassait — l'embrassait vraiment — et elle lui répondait avec la même ardeur.

— Joni, murmura-t-il tout contre sa bouche.

Elle lui caressa le visage et il déposa un baiser au creux de sa paume.

— Sincèrement, je ne t'ai pas proposé de venir ici pour autre chose qu'un café.

— Je sais, répondit-elle avec douceur.

— Mais maintenant… Tu veux bien rester ? demanda-t-il d'une voix rauque.

2.

Joni allait-elle accepter, ou partir ? Aaron n'en avait aucune idée.

Elle resta silencieuse pendant un long, très long moment.

— Je, euh… Habituellement, je ne fais pas ce genre de chose, dit-elle enfin.

— Je m'en étais douté, répondit-il gentiment. Désolé. Je n'aurais pas dû te le demander.

Elle secoua la tête.

— Ce n'est pas ça. Je suis flattée, mais je ne cherche pas à rencontrer quelqu'un, en ce moment.

— Moi non plus. Je suis d'autant plus impardonnable de t'avoir demandé de rester.

Déjà il se détournait pour appeler un taxi, quand elle posa sa main sur la sienne.

— La réponse est oui.

Il aurait dû lui laisser la possibilité de changer d'avis, mais il en avait *tellement* envie. C'était même plus que ça : un besoin. Quelque part, il savait qu'il en était de même pour elle.

Alors il se contenta de l'embrasser.

Puis il la souleva dans ses bras et la porta jusqu'à sa chambre. Elle glissa le long de son corps en reposant les pieds sur le sol, n'ayant probablement aucun doute sur l'intensité de son désir pour elle.

Le regardant droit dans les yeux, elle passa la langue sur sa lèvre inférieure.

Il ne se fit pas prier pour l'embrasser, puis il la fit tourner sur elle-même et souleva sa magnifique chevelure pour défaire lentement sa fermeture à glissière, caressant sa peau à mesure qu'il la découvrait. Elle était si douce qu'il ne put résister à l'envie d'y poser ses lèvres, piquetant ainsi son dos de petits baisers.

Elle poussa de petits gémissements de plaisir et il défit son soutien-gorge tout en continuant à descendre le long de son dos. Puis ce fut le tour de la robe.

— Tu es si belle, dit-il en lui faisant face.

Elle ne portait plus que son slip et, avec sa chevelure qui lui couvrait les seins, on aurait pu croire qu'elle était en Bikini sur une plage. Elle était à la fois pudique et terriblement sexy. Tentatrice en diable.

— J'ai envie de te voir, Joni, dit-il d'une voix éraillée. Relève tes cheveux.

De ses deux mains, elle rejeta ses cheveux en arrière.

— On dirait une déesse, dit-il dans un murmure.

Elle rougit.

— Je ne suis qu'une femme ordinaire.

Ne se rendait-elle vraiment pas compte de l'effet qu'elle produisait ?

— Tu es sublime, lui dit-il. Tes cheveux, ton sourire, tes yeux… Tout simplement sublime.

Cette fois, elle osa sourire.

— En fait, je me sens un peu vulnérable, tu es beaucoup plus habillé que moi.

En moins de dix secondes, il fut entièrement nu.

— C'est mieux comme ça ?

— Beaucoup mieux.

Et ce fut son tour de rougir tandis qu'elle le parcourait du regard. Du bout du doigt, elle traça un trait imaginaire depuis son torse jusqu'à son nombril.

— Excellents abdominaux, dit-elle.

— Merci. Mais je ne suis qu'un homme ordinaire.

Elle rit.

— J'allais oublier de te demander. Est-ce que tu as, euh… de quoi nous protéger ?

— Oui. Mais je devrais peut-être vérifier la date de péremption.

— Voudrais-tu me faire croire qu'un garçon sexy comme toi…

Elle s'interrompit, la main sur la bouche.

— Désolée, ce ne sont pas mes affaires. Pas de questions.

Cela sous-entendait qu'il n'avait pas non plus à lui poser de questions sur elle. Personnellement, cela lui convenait très bien : il n'avait aucune envie de s'égarer sur le registre émotionnel.

— Merci pour le compliment, répondit-il d'un ton léger. Je n'ai pas non plus pour habitude d'inviter chez moi des femmes dont je viens juste de faire la connaissance, je voudrais juste que tu le saches.

Il lui caressa la joue.

— Et je parie qu'habituellement, tu n'acceptes pas d'invitations de la part d'hommes que tu viens juste de rencontrer.

— En effet.

Alors, pourquoi lui ? Et pourquoi cette nuit ?

Pas de questions. Ne demande rien, on ne te répondra pas de mensonges. Et tu n'auras pas non plus à donner de réponses, se dit-il.

Il fouilla dans le tiroir de sa table de chevet et vérifia la date sur le paquet de préservatifs.

— Ça va, on n'a rien à craindre. Maintenant, si tu préfères que je quitte la chambre pour que tu puisses te rhabiller tranquillement pendant que j'appelle un taxi :… Je ne suis pas du genre à forcer une femme à faire ce qu'elle n'a pas envie de faire.

— Je sais, murmura-t-elle. Sinon je ne t'aurais pas suivi jusqu'ici.

Il fut touché par la confiance qu'elle avait en lui. C'était comme si quelque chose venait de se craqueler dans la région de son cœur. Mais il savait que celui-ci était profondément caché en lui.

Ici, il s'agissait de plaisir, et non d'émotions. Il ferait en sorte qu'elle passe un bon moment, et lui aussi. Ensuite, il la reconduirait chez elle, lui dirait au revoir. Les chances pour qu'il la revoie dans une ville de près de huit millions d'habitants étaient pratiquement nulles. Tous deux reprendraient le cours de leur vie, et il continuerait à faire ce qu'il avait toujours fait : fréquenter les gens et bien s'entendre superficiellement avec eux, en ne s'approchant d'aucun d'eux de trop près.

— Ne réfléchis pas tant, lui dit-elle doucement.

Cela signifiait-il qu'elle ne voulait pas réfléchir, elle non plus ? Il était à peu près sûr qu'elle cherchait à fuir quelque chose, mais appréciait qu'elle n'essaie pas d'en discuter. Car il n'avait aucune envie de parler de ce qui tournait en boucle dans sa tête.

Il l'embrassa de nouveau. C'était plus facile de ne pas penser quand il la touchait. Il lui suffisait de s'abandonner à ses sensations, de se perdre dans le plaisir.

Ecartant la couette, il la souleva légèrement dans ses bras et l'adossa contre les oreillers.

Elle lui sourit en lui caressant la joue.

— Aaron…

Il l'embrassa encore et encore, puis fit glisser son slip. Elle l'accompagna au passage d'un mouvement des reins.

— Tu es très belle. J'ai tellement envie de te toucher.

— Alors fais-le, dit-elle d'une voix douce.

Il enfouit son visage dans son cou qu'il couvrit de petits baisers, puis, descendant peu à peu, prit la pointe d'un sein dans sa bouche et le suça. Elle se cambra et fourra les mains dans ses cheveux, comme pour l'encourager à poursuivre.

Tour à tour embrassant et léchant sa peau, il atteignit son ventre et s'agenouilla entre ses jambes. Elle retint sa respiration. Lentement, il caressa l'intérieur de ses cuisses du bout des doigts, sa bouche suivant la voie ouverte par sa main. Elle se mit à haleter, et c'était exactement ce qu'il voulait : qu'ils oublient tout le reste, excepté le moment qu'ils étaient en train de vivre.

— Aaron… Oui, murmura-t-elle quand sa langue caressa son sexe.

Il titilla doucement son clitoris du bout de la langue, jusqu'à ce qu'il l'entende pousser un gémissement de volupté. Alors il alterna des mouvements de plus en plus appuyés et rapides avec d'autres plus doux et lents. Quand elle atteignit l'orgasme, son corps se cabra et il la tint un long moment contre lui. Tout alanguie par le plaisir, elle était comme une poupée de chiffon dans ses bras.

— Aaron…

— Je voulais que cette première fois soit pour toi, lui dit-il.

Il vit ses yeux se remplir de larmes, comme si elle n'était pas habituée à ce que l'on tienne compte d'elle de cette façon. Il aurait volontiers cassé la figure du type qui lui avait fait croire que ce qu'elle ressentait n'avait pas d'importance.

A cet instant, il eut une vague idée de ce qu'elle devait fuir, et de la raison pour laquelle elle semblait avoir si peu confiance en elle.

De son côté, il pouvait l'aider à se sentir mieux. Qui plus était, cela pouvait également être bénéfique pour lui.

Il tendit la main vers un préservatif et la pénétra en douceur. Les effets de l'orgasme étaient encore perceptibles en elle. Il commença à bouger lentement et elle noua les jambes autour de sa taille pour l'attirer plus en profondeur, contractant ses muscles autour de son sexe.

— C'est si bon, grogna-t-il.

Elle sourit, et recommença.

— Viens sur moi, lui dit-il. Je veux voir ta superbe chevelure retomber sur nous deux.

Elle lui jeta un coup d'œil légèrement surprise.

— Tu aimes mes cheveux ?

Comment pouvait-elle douter de leur beauté ?

— *J'adore* tes cheveux.

Elle sourit de nouveau et ils roulèrent sur le côté. Il était sur le dos et elle le chevauchait. Elle se mit à onduler en cadence et ses cheveux retombèrent sur eux, comme il l'avait demandé.

La réalité dépassait son imagination.

— Tu es magnifique, dit-il dans un souffle.

Apparemment, elle aimait contrôler la situation et l'agaça comme il l'avait fait avec elle, laissant la pression monter jusqu'à un certain point, puis relâchant le rythme avant de recommencer.

Quand il jouit, il sentit qu'elle atteignait de nouveau l'orgasme et la serra tout contre lui jusqu'à ce qu'ils aient recouvré leurs esprits.

— Je m'occupe du préservatif, dit-il enfin.

— Et moi, je vais m'habiller et appeler un taxi.

Il jeta un coup d'œil à son réveil.

— A cette heure de la nuit ? Pourquoi ne pas rester ? A moins que tu ne doives être quelque part…

— Je peux être partout où je le décide, répondit-elle.

— Alors, reste, dit-il spontanément.

Mais qu'était-il donc en train de faire ? Il aurait dû s'habiller et la reconduire chez elle, au lieu de lui demander de rester. Il faisait le premier pas sur une pente très glissante au bout de laquelle quelqu'un risquait d'entrer dans sa vie.

Or, il n'était pas doué pour les contacts rapprochés. Au travail, pas de problèmes, mais tout ce qui impliquait des émotions le faisait reculer. D'ailleurs, toutes ses petites amies sans exception s'en étaient plaintes. Mais aucune d'elles ne lui avait donné envie de changer ou même de poursuivre leur relation, ce qui avait renforcé sa conviction : l'amour n'était pas pour lui.

Il devait donc tout arrêter. Dès maintenant.

Mais les mots qui sortirent de sa bouche n'étaient pas en accord avec ses pensées.

— Je pourrais te préparer un petit déjeuner. Il y a une pâtisserie au coin de la rue qui fait des croissants fantastiques.

— Et tu me feras ton café ?

— Naturellement.

Avait-il donc perdu tout son bon sens ? Pourquoi ne la poussait-il pas dehors au plus vite ?

Il fit une dernière tentative pour tout empêcher.

— Est-ce que tu as besoin… d'insuline, ou d'autre chose ?

— J'ai ce qu'il faut, répondit-elle.

A présent, il était trop tard pour lui demander de partir, pas vrai ?

Bon. C'était juste pour une nuit. Passer quelques heures avec quelqu'un n'équivalait pas à une déclaration d'amour éternel, tout de même. Rien n'était perdu.

Il se débarrassa du préservatif.

— Il y a des serviettes propres dans la salle de bains. Je t'en prie, fais comme chez toi.

Elle lui adressa un sourire embarrassé.

— Je ne voudrais pas en demander trop, mais pourrais-tu me prêter un peignoir ?

Elle n'osait pas sortir du lit nue.

— Bien sûr.

Il alla chercher le sien qui était accroché derrière la porte et le lui tendit en fermant les yeux. Quelques minutes plus tard, elle était de retour, la peau encore légèrement humide, fleurant bon son gel douche au parfum citronné.

— Veux-tu que je ferme encore les yeux ? demanda-t-il, tandis qu'elle restait debout près du lit.

Elle hocha la tête.

— C'est un peu pathétique, je sais.

Non. Cela signifiait simplement qu'elle n'était vraiment pas habituée aux aventures d'une nuit. Mais peut-être en avaient-ils tous les deux eu besoin, cette fois. Il attendit qu'elle ait regagné le lit pour se pencher sur elle et lui embrasser le bout du nez.

— Pour ta gouverne, il n'y a rien de pathétique là-dedans, dit-il. Je trouve même cela charmant. Et je suis très flatté que tu m'aies choisi pour… être avec toi cette nuit.

Elle ne répondit pas, mais le coin de ses yeux se plissa.

— Et maintenant, si on dormait ? fit-il avant d'éteindre la lumière.

Cela faisait très, très longtemps qu'il n'avait pas passé la nuit avec une femme. Ce n'était sans doute pas la décision la plus sensée qu'il ait prise. Mais à cet instant, il fut heureux de s'endormir tout contre sa chaleur, leurs deux corps s'emboîtant parfaitement. Et demain…

Demain, ils prendraient le petit déjeuner, se diraient au revoir en souriant et reprendraient chacun sa route.

Joni se sentait bien, contre le corps chaudement lové autour du sien.

Soudain, elle ouvrit grand les yeux. *Le corps ?*

Tout lui revint aussitôt à l'esprit : elle avait passé la nuit entière avec Aaron.

Mais le réveil risquait d'être embarrassant. Ce qui s'était passé la veille n'était dû qu'à la folle impulsion du moment — à laquelle elle n'aurait pas dû céder.

Pourquoi était-elle restée pour cette dernière danse ? Pourquoi l'avait-elle laissé l'embrasser, pour ensuite faire l'amour avec lui ? Et pourquoi n'avait-elle pas saisi les occasions qu'il lui avait offertes de faire machine arrière et de s'enfuir pour retrouver la sécurité de son appartement ?

La panique s'insinua en elle. Qu'est-ce qu'Aaron allait lui demander ce matin ? La veille, il avait parlé de prendre le petit déjeuner. Chercherait-il à poursuivre leur relation parce qu'ils avaient passé la nuit ensemble ? Ou craindrait-il, comme elle, qu'elle ne veuille davantage de lui qu'il n'était prêt à donner ?

Retenant son souffle, elle écouta. Il avait une respiration profonde et régulière. Elle avait une chance de sauver la situation.

S'en aller sans dire au revoir n'était pas une attitude très courageuse, mais elle l'assumait. Dans quelques minutes, elle quitterait l'appartement sur la pointe des pieds et sortirait en même temps de sa vie. Les probabilités de se recroiser dans une grande ville comme Londres étaient pratiquement nulles, d'autant plus qu'elle n'avait aucunement l'intention de retourner à la boîte de salsa.

Ainsi, ils garderaient tous deux un bon souvenir de leur rencontre et n'auraient pas le temps d'être déçus.

Avec précaution, elle écarta les mains d'Aaron de sa taille. Il continua à respirer calmement. A l'évidence, il faisait partie de ces gens que rien ne pouvait distraire de leur sommeil. Il devait avoir besoin d'une bonne sonnerie pour se réveiller le matin.

Partir sans un mot était tout de même un peu dur. Dans la cuisine, elle repéra un bloc-notes et un stylo près du téléphone. Elle griffonna quelques mots sur un papier qu'elle posa en évidence contre un mug.

Puis, ayant rassemblé ses affaires, elle gagna rapidement la rue. Sur le trottoir, un passant lui jeta un coup d'œil éloquent : on était dimanche matin et, à en juger par sa tenue habillée, il était facile de deviner qu'elle avait passé la nuit hors de chez elle.

Elle se redressa fièrement. D'accord, sa conduite de la veille n'avait pas été habituelle. Mais c'était exactement ce dont elle avait eu besoin. Contrairement à Marty, Aaron lui avait fait ressentir de l'estime pour elle-même. Il avait dissipé la tristesse qui menaçait de plomber cette soirée. Elle n'avait donc aucun regret.

A présent, un taxi allait la ramener à sa vie habituelle.

Au réveil, Aaron trouva le lit froid à côté de lui. Joni était partie sans le réveiller.

Il aurait dû se sentir soulagé, puisqu'il ne voulait pas de complications dans sa vie. Mais alors, pourquoi était-il déçu ? En fait, il aurait aimé se réveiller auprès d'elle et qu'ils prennent ensemble tranquillement leur petit déjeuner.

Il secoua la tête. Etait-il donc devenu fou ? Il ne savait rien de Joni — à part son prénom. Les chances de la retrouver dans une ville comme Londres étaient quasi inexistantes et c'était sans doute mieux ainsi.

Ce fut après avoir pris sa douche et s'être habillé qu'il remarqua le mot en allant se faire un café.

Merci pour tout. J.

Sympa. Voilà qui dénotait une bonne éducation. Mais

il remarqua aussi qu'elle n'avait pas laissé son numéro de téléphone ni aucun autre moyen de la joindre. Elle ne voulait donc pas le revoir.

— C'est mieux comme ça, dit-il tout haut, comme pour mieux s'en convaincre.

Mais sa voix résonna étrangement dans le vide.

En tout cas, il n'avait pas le temps de rester là à ruminer. Son nouveau travail commençait le lendemain. Il l'occuperait suffisamment pour l'empêcher de penser à la femme sublime à la chevelure incroyable qui lui avait fait voir trente-six chandelles et avait passé la nuit blottie dans ses bras.

Un nouveau job, de nouvelles responsabilités, une nouvelle équipe…

Tout cela, il le vivrait seul. Il ne connaissait pas d'autre façon de faire.

3.

— As-tu fait la connaissance de notre nouveau consultant ? demanda Nancy, l'infirmière de salle, tandis que Joni se préparait un café dans la petite cuisine.

— Pas encore, répondit-elle. J'ai été en consultations toute la matinée pour la médecine du voyage, c'est ma première pause. A quoi est-ce qu'il ressemble ?

— Le voilà qui arrive, tu vas pouvoir en juger par toi-même.

La porte s'ouvrit. Joni se retourna pour accueillir le nouveau venu, une ébauche de sourire aux lèvres, et se figea aussitôt.

De tous les hôpitaux et les services existant au monde, il avait fallu qu'il atterrisse dans le sien. Elle vit à son expression qu'il l'avait immédiatement reconnue.

Génial. La seule fois de sa vie où elle passait une nuit de folie avec un bel étranger, il fallait que ce soit quelqu'un avec qui elle allait devoir travailler.

Comment la vie pouvait-elle créer des situations aussi compliquées, aussi embarrassantes ?

Eric Flinders, le chef du service, fit les présentations.

— Voici M. Hughes, notre nouveau consultant. Aaron, vous avez déjà vu l'infirmière Meadows, et voici le Dr Parker, notre interne spécialiste. Elle va travailler étroitement avec vous.

De plus en plus embarrassant. Elle se mit à souhaiter que le sol s'ouvre pour l'engloutir, mais rien ne se passa.

Elle n'eut pas d'autre choix que de lui faire face.

— Enchantée, M. Hughes, dit-elle en lui tendant la main.

A son grand soulagement, il se contenta de la lui serrer, sans mentionner leur précédente rencontre.

— Moi de même, docteur Parker.

Pour ce qui était de ne jamais revoir sa belle étrangère, c'était réussi. Aaron allait même devoir travailler en étroite collaboration avec elle !

Les hauts talons, la jupe courte et l'incroyable chevelure du samedi soir avaient disparu, cédant la place au pantalon-blouse blanche et chaussures plates. Quant à ses cheveux, ils étaient attachés en une simple tresse.

Il nota le nom sur son badge : Dr N. Parker. Elle avait pourtant prétendu s'appeler Joni. Le prénom faisait-il aussi partie du déguisement ?

Ses lèvres souriaient, mais il lut de la panique dans son regard. Cependant, il n'avait aucunement l'intention de mentionner la nuit de samedi, si elle n'en faisait rien de son côté. Tous deux avaient vécu un moment de folie, et il espérait que, tout comme lui, elle tiendrait à en rester là.

— Vous assurerez ensemble les consultations de tuber-culose cet après-midi, dit Eric Flinders en souriant à Joni. Vous pourriez peut-être expliquer à M. Hugues comment les choses fonctionnent ici ?

— Bien sûr, monsieur Flinders, répondit-elle.

Eric Flinders faisait apparemment en sorte que les rapports entre collègues restent très formels.

Joni jeta un coup d'œil à sa montre.

— On pourrait peut-être profiter de la pause déjeuner ? dit-elle.

— C'est parfait pour moi, Dr Parker, répondit-il.

Elle lui sourit.

— J'en profiterai pour vous faire faire le tour des locaux et vous montrer la cafétéria. Au début, tant qu'on n'a pas pris ses repères, un nouvel hôpital ressemble un peu à un labyrinthe…

Il comprenait pourquoi le chef du département avait chargé Joni de lui faire découvrir l'établissement. Elle était clairement du genre à prendre les gens sous son aile pour qu'ils se sentent rapidement partie intégrante de l'équipe. A n'en pas douter, sa personnalité était aussi belle que son physique. Ce qui faisait d'elle quelqu'un de d'autant plus dangereux.

— Merci, dit-il poliment.

— Je dois d'abord faire la tournée des patients. On pourrait se retrouver à 12 h 30 ?

— Entendu.

Il constata avec inquiétude qu'il avait déjà hâte d'y être. Bon sang. Il fallait arrêter cela tout de suite. Joni — le Dr N. Parker — était sa collègue. Point. Et il avait intérêt à ne pas l'oublier.

Joni arriva à leur rendez-vous avec dix minutes de retard.

— Désolée, la tournée a duré plus longtemps que prévu et…

— Tout va bien, dit-il gentiment. Si un patient a besoin d'un peu plus de temps, on peut difficilement lui dire d'attendre la prochaine fois.

Elle lui adressa un coup d'œil reconnaissant et ils se rendirent directement à la cafétéria de l'hôpital. Là, il ne fut pas surpris de la voir opter pour un repas parfaitement équilibré plutôt que pour le sandwich le plus proche et une barre chocolatée. De même, elle but de l'eau plate et non pas une quelconque boisson sucrée. Il était clair qu'elle veillait à son taux de sucre, la nuit de samedi avait été pour elle une exception.

Quant à lui, il fallait qu'il arrête de penser à cette fameuse nuit… A la douceur de sa peau contre la sienne. Leur relation devait être uniquement professionnelle.

— Le café n'est pas trop mauvais ici, dit-elle avant de rougir comme si elle se rappelait celui qu'il lui avait fait.

Hum… En ce qui concerne notre service, je suppose qu'il fonctionne à peu près comme celui dans lequel vous étiez.

— A Manchester, dit-il.

— Nous avons donc les visites aux patients, les tournées de salles, les réunions où l'on passe les cas en revue. Puis nous assurons les consultations régulières — tuberculose, médecine du voyage, parasitologie et maladies tropicales. Il y a aussi les consultations externes pour les gens qui viennent juste de rentrer de l'étranger, de sorte qu'ils n'ont pas besoin de passer par leur généraliste. On y traite généralement les problèmes habituels — parasites intestinaux, éruptions cutanées et fièvres. Parfois il nous arrive de tomber sur un cas plus rare, mais le plus souvent ce sont des symptômes de gastro.

Voilà qui ressemblait beaucoup à ce qu'il avait fait à Manchester.

Il remarqua que, tout en lui parlant, elle évitait son regard. Il devait réagir.

— Dr Parker, dit-il doucement.

— Ou-oui, répondit-elle, visiblement nerveuse.

— Nous pourrions peut-être nous débarrasser de l'éléphant qui est dans la pièce.

Elle inspira profondément.

— Je suis désolée. Vraiment, je n'ai pas l'habitude de… Oh ! non ! fit-elle en couvrant son visage de ses mains. Il faut que j'arrête de m'excuser tout le temps. Bailey ne serait pas contente de moi, elle me mettrait à l'amende. Vous savez qu'il y a des gens qui mettent une pièce de monnaie dans une tirelire chaque fois qu'ils disent un gros mot ? Eh bien, moi, j'ai une tirelire pour les fois où je m'excuse, lorsque cela dépasse une fois par jour.

Elle se mordit la lèvre.

— J'ai bien dû m'excuser deux fois auprès de vous, aujourd'hui.

— Plutôt trois, dit-il en souriant. Quoi qu'il en soit, ce qui s'est passé ce week-end restera entre nous et ne regarde personne d'autre, je voulais vous le dire.

— Merci, répondit-elle d'un air soulagé. Je n'en suis pas revenue lorsque je vous ai vu. Les chances de retomber l'un sur l'autre étaient tout de même minimes. D'autant plus que les maladies tropicales et infectieuses ne sont pas une spécialité courante.

— En effet. Mais on aurait sans doute fini par se retrouver, dans une réunion inter-hôpitaux, par exemple. Et si on reprenait les choses depuis le début, comme deux collègues qui viennent juste de faire connaissance ? Bonjour, je m'appelle Aaron Hughes, spécialiste en médecine tropicale. Enchanté de vous connaître, dit-il en lui tendant la main.

Elle la prit et il se retint de tressaillir quand elle le toucha. Mauvais signe. Il ne fallait pas qu'il réagisse comme cela avec elle. Pas de liens affectifs.

— Je m'appelle Joni Parker, et je suis également spécialiste en médecine tropicale. Enchantée.

Elle n'avait donc pas menti sur son prénom.

— Que veut dire le « N » sur votre blouse ? demanda-t-il, laissant la curiosité l'emporter.

— Nizhoni, répondit-elle. Comme c'est un peu compliqué, la plupart des gens l'ont raccourci en « Joni ».

— Ce n'est pas un prénom ordinaire.

— C'est un peu exotique, tout comme notre spécialité, répondit-elle en souriant, d'un vrai sourire qui fit briller ses beaux yeux sombres.

Pour le coup, il lui sembla que son sang s'échauffait dans ses veines. C'était une très mauvaise idée. Il ne pouvait se permettre de s'impliquer émotionnellement avec Joni Parker, quelle que soit l'attirance qu'il éprouvait pour elle.

Très jeune, il avait appris que garder ses distances était le meilleur moyen d'être en sécurité. Cela permettait d'éviter la souffrance. Si on se laissait aller à aimer quelqu'un, on finissait toujours par se retrouver seul, le cœur brisé. Rester sur la réserve permettait de survivre avec un cœur intact.

— Je crois que la seule différence avec Manchester, ce sont les rapports formels entre collègues qu'il y a ici, dit-il. Là-bas, nous nous appelions tous par nos prénoms.

En même temps, il était bien content qu'ils soient spontanément repassés au vouvoiement, cela permettait de garder une distance.

— Ici aussi, excepté M. Flinders qui marque sa différence. La plupart des membres de l'équipe sont là depuis plus longtemps que moi, comme Nancy, l'infirmière en chef, qui est adorable. Il y en a aussi un ou deux qui viennent juste de commencer. Mikey par exemple, notre médecin de première année, hésite encore entre la médecine tropicale et les urgences pour sa spécialisation. Il fait un roulement de six mois avec nous avant de prendre sa décision.

Puis elle passa en revue le reste de l'équipe.

— En fait, nous sommes tous assez soudés, dit-elle en conclusion. On essaie de passer une soirée tous ensemble au moins une fois par mois. C'est à chacun son tour de l'organiser, et à qui trouvera le thème le plus original.

Elle laissa échapper un sourire malicieux.

— Pour l'instant, c'est moi qui gagne.

— Avec quoi? demanda-t-il, curieux.

— Une soirée pizza.

— Et qu'y a-t-il de si original là-dedans? Il y a une pizzeria pratiquement à chaque coin de rue.

Le sourire de Joni s'élargit.

— Ce qui n'est pas banal, c'est de devoir tout d'abord traverser des trombes d'eau sans être mouillé.

Il la regarda sans comprendre.

— Comment est-ce possible? Etes-vous en train de me dire que vous pouvez prévoir le temps qu'il fera?

Elle rit franchement.

— Pas du tout. En fait, il s'agissait d'une manifestation artistique, qui est malheureusement terminée, sinon je vous aurais recommandé la visite. Pour ma part, j'y suis allée quatre fois. A la base, il y avait une installation très précise, avec des capteurs détectant les mouvements qui empêchaient la « pluie » de tomber sur les spectateurs. Mais cela dépendait de leur façon de se déplacer et de leur rapidité.

176

— Ce devait être amusant, dit-il.

— Très. On était comme des gamins, à essayer de tout faire pour recevoir la pluie. On a sauté dans la pièce, dansé la valse, la samba, tenté d'imiter la « moonwalk » de Michael Jackson…

Elle rit de nouveau et il sentit son sang s'échauffer. Ne pas se laisser distraire…

— A part ça, on a aussi fait du patin à glace, pris un cours de tango… Après, on mange tous ensemble — du poisson et des frites, une pizza ou un curry. Tous les trimestres, nous avons aussi une soirée quiz avec le département des urgences. L'équipe perdante approvisionne les gagnants en biscuits au chocolat pendant une semaine. J'espère que vous êtes bon en culture générale, parce que nous avons perdu les trois dernières fois.

Elle lui décocha encore un de ses sourires qui lui donnaient envie de la prendre dans ses bras et de l'embrasser.

— Cela ne nous ferait pas de mal de gagner cette fois-ci, pour qu'ils arrêtent un peu de se pavaner.

— Je ne suis pas mauvais en culture générale, mais ne pariez pas les biscuits sur moi, dit-il sur le ton de la plaisanterie. En tout cas, c'est bien d'être proche des autres départements.

Elle soupira.

— Mais le nouveau directeur de l'hôpital ne s'en rend même pas compte. Dans une quinzaine de jours, il va envoyer certains d'entre nous dans un de ces centres de coaching pour entreprises qui coûtent très cher. Pour nous apprendre à former une équipe, paraît-il. Je suppose que nous devrons nous soumettre à ce que le directeur demande…

— Est-ce que je peux vous offrir un café ? demanda-t-il.

Elle le regarda d'un air méfiant.

— Pourquoi ?

— Juste pour vous remercier de m'avoir présenté l'établissement en m'indiquant tout ce que j'ai besoin de savoir sur le fonctionnement du département, répondit-il avec empressement.

Elle sourit, visiblement soulagée. Cette femme était un livre ouvert. Elle n'avait de toute évidence pas l'habitude de cacher ses émotions — contrairement à lui.

— C'est inutile, je le fais avec plaisir, dit-elle. Mais un café sera le bienvenu, merci. Un cappuccino, sans chocolat sur le dessus.

Oui, il savait. Et il fut content d'avoir trouvé une excuse pour quitter la table avant de faire quelque chose d'inconsidéré — comme de l'inviter à dîner. Ils étaient collègues. Ils n'avaient pas besoin de compliquer la situation en cédant à une certaine attirance mutuelle. Même si Joni était la femme la plus splendide qu'il ait jamais rencontrée, il fallait qu'il résiste à ces pulsions ridicules.

De retour à la table avec les cafés, il réprima difficilement une grimace à la première gorgée de son espresso.

— Vous n'aimez pas ? dit-elle.

— J'avoue que je suis un peu difficile pour le café.

— Dans ce cas, je dois vous avertir que dans la salle de repos de l'hôpital, il n'y a que de l'instantané. Et le thé est encore pire.

— C'est noté.

— Comment êtes-vous devenu fin connaisseur en café ?

C'était une question personnelle, mais elle n'était pas entachée d'émotions, il pouvait donc y répondre sans problème.

— J'ai travaillé comme barman lorsque j'étais étudiant. C'était un café, et pas une chaîne. Pour mon patron, un bon café équivalait à un grand cru. Il m'a beaucoup appris.

— D'où votre superbe machine à café, dit-elle.

Elle rougit aussitôt.

— Du moins, je suppose que vous en avez une, se reprit-elle. Car comment pourrais-je connaître votre cuisine ?

Il ne put s'empêcher de sourire.

— Euh… Je crois qu'il est temps d'y aller, dit-elle, les consultations commencent dans un quart d'heure.

Une excuse bien pratique. Et qui l'arrangeait lui aussi, car, plus il passait de temps avec Joni Parker, plus elle lui plaisait. Ce qui risquait de menacer sérieusement sa tranquillité d'esprit.

Au club de salsa, Bailey avait qualifié Aaron de « sexy ». Mais à l'hôpital, il était encore plus fabuleux. Joni avait toujours eu un faible pour les hommes de son genre. Par exemple, elle aurait choisi Clark Kent plutôt que Superman. Avec sa blouse blanche et ses lunettes finement cerclées, il lui plaisait incontestablement, mais il était son collègue de travail.

Vouloir se rappeler ce qu'il lui avait fait durant la nuit de samedi ne rimait donc à rien, d'autant qu'il avait lui-même abordé le sujet et lui avait clairement signifié qu'il n'avait pas l'intention de recommencer.

Elle ne pouvait que lui donner raison : une relation extraprofessionnelle entre collègues travaillant ensemble ne pouvait que se révéler gênante pour le reste de l'équipe.

Garder ses distances était la seule chose sensée à faire, elle pourrait ainsi mieux se concentrer sur son travail.

La troisième patiente venue consulter était une jeune fille de dix-neuf ans, Cara, qui avait pris une année sabbatique avant de commencer la faculté et était allée travailler pendant un an dans une école, à Bornéo.

De retour depuis deux mois, elle toussait beaucoup, avait perdu l'appétit et était constamment fatiguée. Elle avait également des sueurs nocturnes. Sa mère avait regardé sur internet et, d'après les symptômes, craignait qu'elle n'ait un cancer.

— Ce genre de symptômes peut signifier beaucoup de choses et pas seulement un cancer, lui dit gentiment Aaron. Surfer sur internet a du bon, mais vous pouvez aussi vous faire vraiment peur lorsque vous n'avez pas tous les éléments. Il est toujours bon de consulter son médecin pour éviter de s'inquiéter sans raison.

— Mais mon médecin m'a demandé de passer une radio…

— Parce que cela lui permettra de préciser son diagnostic en éliminant certaines possibilités, dit Joni.

Cara hocha la tête.

— Le technicien m'a dit qu'il n'y avait pas de signe de tumeur, mais qu'il voyait des taches blanches qui pouvaient être un signe de tuberculose.

— C'est pourquoi votre médecin vous a envoyée ici, puisque la tuberculose entre dans la catégorie des maladies tropicales et infectieuses.

Aaron tourna l'écran pour que la patiente puisse le voir.

— Il y a des traces sur vos poumons, ces taches blanches sont un symptôme classique de la tuberculose, dit-il. J'ai vu que votre médecin vous avait également fait passer un test cutané vendredi dernier. Et tous les autres symptômes que vous avez décrits correspondent également.

— Mais comment est-ce possible ? Je croyais que plus personne n'attrapait cette maladie.

— La tuberculose est due à une infection bactérienne, elle est encore bien présente dans certaines parties du monde, répondit-il. Elle se transmet par la toux et les éternuements, et peut affecter d'autres parties du corps que les poumons. C'est pourquoi les tests sont nécessaires. Toutes les personnes qui ont la tuberculose ne sont pas forcément contagieuses — il ne suffit pas d'être assis à côté de quelqu'un qui en est atteint pour l'attraper. Mais si vous partagez la chambre d'une personne malade, vous avez d'autant plus de risques d'être atteinte. Or, Bornéo a un taux de contamination assez élevé. Si votre examen cutané est positif, je suppose que c'est là que vous avez attrapé la maladie.

Cara eut l'air inquiet.

— On était plusieurs étudiants par chambre. Pensez-vous qu'ils puissent êtes malades ?

— Soit l'un d'eux vous a contaminée, soit vous avez attrapé l'infection ailleurs et c'est peut-être vous qui la leur avez transmise. Ce serait bien de les avertir et de leur conseiller d'aller voir leur médecin pour qu'ils en aient le cœur net.

— Oh ! mon Dieu, dit Cara avec un soupir. Je me sens mal à l'idée que j'ai peut-être contaminé d'autres personnes.

— Ce n'est pas votre faute, dit Joni. Vous ignoriez que vous étiez malade, car la tuberculose met un certain temps à se manifester.

Aaron examina l'avant-bras de la patiente, à l'endroit où l'examen cutané avait été effectué.

— C'est boursouflé et rouge, le test est donc positif, dit-il. J'aurai également besoin d'un examen de crachats, mais la culture des bactéries prend environ quinze jours, nous devrons attendre les résultats. Cependant, je suis pratiquement certain que vous êtes atteinte de tuberculose et j'aimerais commencer le traitement dès à présent.

— La bonne nouvelle, c'est que vous pouvez vous soigner chez vous avec des antibiotiques, dit Joni. Il faudra en prendre de deux sortes pour que nous soyons sûrs que l'infection est enrayée.

— Vous devriez vous sentir mieux d'ici deux semaines, dit Aaron. Mais il est très important que vous continuiez à prendre les médicaments pendant les six mois à venir, sans arrêter lorsque vous irez mieux.

— Six mois ?

— Oui. Sinon l'infection ne disparaîtra pas et la bactérie risque de devenir résistante aux antibiotiques que nous vous donnons. Dans ce cas, la guérison sera encore plus longue à venir.

— Alors, je promets de prendre les médicaments jusqu'au bout, même si je me sens mieux, répondit aussitôt Cara.

— Il se peut que le traitement entraîne des effets secondaires comme des nausées, des démangeaisons et des engourdissements des mains ou des pieds, vous pouvez avoir un teint plus jaune, une urine plus foncée ou des troubles de la vue. Dans ce cas, il faudra adapter le traitement, dit Joni. Mais nous vous donnerons une brochure contenant tous ces renseignements, vous y trouverez également des conseils pour éviter de transmettre le virus à votre entourage — famille, amis ou collègues. Il faut vous couvrir la bouche quand vous toussez ou que vous éternuez, et même si vous riez. Vous devrez jeter tous vos mouchoirs sales dans un sac en plastique fermé. Et ne dormez pas avec quelqu'un d'autre, car vous pourriez tousser ou éternuer dans votre sommeil.

— Pour l'instant, il faut rester chez vous, dit Aaron. On se verra une fois tous les quinze jours. Nous garderons un œil sur vous et vous dirons quand vous pourrez retourner travailler en toute sécurité. Si vous avez la moindre inquiétude, n'hésitez pas à nous appeler.

Il écrivit l'ordonnance pendant que Joni remettait toutes les informations à Cara.

Aaron avait un bon contact avec les patients. Il était clair, précis et aussi plein de sollicitude — il avait serré les mains de la jeune fille quand elle s'était inquiétée à propos du cancer.

Quant à ses rapports avec elle dans le travail, ils étaient simples et naturels, ce qui faisait des consultations un plaisir. Toutes les conditions semblaient réunies pour que l'équipe puisse donner tout son potentiel. Elle n'avait pas l'intention de mettre cet équilibre en péril à cause d'un béguin ridicule pour cet homme. Dans quelques jours, il n'en serait même plus question.

C'était à souhaiter, en tout cas.

A la fin des consultations, tous deux avaient des notes à taper.

— Merci d'avoir rendu ma première matinée aussi agréable, lui dit Aaron.

— Le plaisir était pour moi.

S'il n'y avait pas eu la nuit de samedi, elle l'aurait même invité à venir prendre un verre avec quelques collègues après le travail, pour qu'il s'intègre plus facilement. Mais cette nuit avait bel et bien existé, et elle ne voulait pas qu'il interprète mal son geste — d'autant qu'il lui avait clairement fait comprendre qu'il ne tenait pas à reprendre les choses où ils les avaient laissées.

L'attirance qu'elle éprouvait pour lui n'était donc pas réciproque. Elle n'avait aucune envie de recommencer une relation avec quelqu'un qui ne s'investirait pas autant qu'elle. Elle était déjà passée par là et avait retenu la leçon.

4.

— Tu plaisantes. Le type sexy du club de salsa est ton nouveau consultant ? C'est une blague ! fit Bailey tout bas en passant dans la posture du chien sur son tapis de yoga.

— Pas du tout, répondit Joni en chuchotant.

— On ferait mieux de se taire, Jenna nous fait les gros yeux. Tu me raconteras ça après. Concentre-toi un peu sur ta posture…

Après le cours, elles se rendirent à leur bistro habituel, où elles commandèrent deux supersalades au poulet et un verre d'eau gazeuse agrémentée d'une rondelle de citron.

— Alors, parle-moi de Mister Sexy, dit Bailey.

— On a été de service ensemble.

— J'espère qu'il est meilleur médecin que danseur…

Joni esquissa un sourire.

— En effet. Il est gentil avec les patients, il sait les écouter et leur parler.

— Et… ?

Mal à l'aise, elle s'agita sur son siège.

— Nous avons passé la nuit ensemble samedi, Bailey. Je l'ai suivi chez lui et je suis restée. Tu te rends compte ? Un parfait étranger !

Bailey balaya sa remarque d'un revers de main.

— Cela fait des années que je te connais et c'est la première fois que ça t'arrive. Tu es un modèle de sagesse, alors ne sois pas trop dure avec toi-même. Et puis, samedi était une journée particulière, tu avais besoin de penser à autre chose.

Elle regarda son amie droit dans les yeux.

— Alors, est-il aussi sexy en blouse blanche qu'en chemise ?

Joni resta muette, se sentant rougir jusqu'à la racine des cheveux.

— Ne me dis pas qu'il porte des lunettes… ?

Elle répondit par un simple hochement de tête. En plein dans le mille. Son amie connaissait parfaitement ses goûts.

Le sourire de Bailey s'élargit et elle lui serra l'épaule.

— Parfait. Là au moins, tu as fait la connaissance de quelqu'un de gentil — pas comme ce Marty. Cerise sur le gâteau, il est sexy, correspond à tous tes critères et vous avez des points communs de par votre travail. Je sais que tu lui plais, j'ai vu la façon dont il te regardait. Alors, quand ressortez-vous ensemble ?

— Cela n'arrivera pas.

— Ah. Quel est le problème ?

Joni fit la grimace.

— En tant que collègues, ce n'est pas souhaitable. C'est lui qui a abordé le sujet pendant le déjeuner.

Bailey haussa les sourcils.

— Vous avez déjeuné ensemble ?

— Inutile de te faire des idées. Je lui ai présenté le service et nous avons fait une courte pause à l'heure du repas. Nous avons décidé de repartir de zéro et de faire comme si nous nous voyions pour la première fois.

— Mmm, marmonna Bailey en remerciant la serveuse qui leur apportait leur repas. Bon. Je veux bien qu'il puisse être gênant de se fréquenter quand on travaille ensemble. Mais y a-t-il toujours la même alchimie entre vous ?

Joni soupira.

— Il n'est pas pour moi, Bailey.

— Tu n'as pas répondu à ma question. J'en déduis donc que la réponse est oui.

Elle haussa les épaules.

— De toute façon, c'est à sens unique. Et je n'ai pas

envie de me retrouver dans la situation où je suis la seule à être impliquée sur le plan émotionnel.

— Marty a une grande responsabilité là-dedans.

— Pas seulement lui. Tu sais comme moi à quel point j'ai le chic pour choisir l'homme qu'il ne faut pas. Au début il est adorable, puis il devient de plus en plus distant, ou bien il veut me changer.

— Et il te fait croire que tu n'es pas assez bien, alors tu passes ton temps à t'excuser pour des défauts inexistants. Mais d'abord, comment sais-tu que c'est à sens unique, avec Super Sexy ?

— Je le sais, c'est tout.

— Hum. Ce n'est pas ce que j'ai vu samedi. Peut-être que vous iriez très bien ensemble.

— Nous sommes collègues, point final, dit fermement Joni. Et puis, tu peux parler. Quand es-tu sortie avec un homme pour la dernière fois ?

— Il n'y a pas encore assez longtemps, répliqua Bailey. Et il ne s'agit pas de moi.

Joni se rappela comment la vie de sa meilleure amie avait implosé deux ans auparavant. Elle lui serra brièvement la main d'un geste amical.

— Désolée, ce n'est pas ce que je voulais dire. Simplement, il est peut-être temps de tourner la page, et de te donner une chance de rencontrer quelqu'un d'autre et d'être de nouveau heureuse.

— J'apprécie ta sollicitude, mais je suis parfaitement bien ainsi, répondit calmement Bailey. Moi, je te parle de toi et de ton nouveau collègue.

— Il ne se passera rien. A présent, tais-toi, ou tu seras privée de dessert. Et au prochain cours de yoga, je dirai à Jenna que tu insistes pour faire davantage de postures du guerrier.

— Ça, ce n'est vraiment pas sympa. D'accord, je me tais.

— Evite même d'y penser, fit Joni d'un ton d'avertissement.

Bailey lui répondit d'un regard innocent qui ne trompa pas Joni une seconde.

C'était sûrement parce qu'il était célibataire depuis des mois — à part la nuit de samedi. Aaron espérait dompter ses pulsions physiques en faisant de l'exercice.

Il ne pouvait même pas mettre l'entorse à ses principes sur le compte de l'alcool, une demi-pinte de bière et une coupe de champagne étaient insuffisants pour faire voler toutes ses barrières en éclats. Il avait été totalement maître de ses actes.

Simplement, quand il avait vu Joni sur la piste de danse, il avait été assez stupide pour laisser le désir prendre le pas sur le bon sens.

Il ajouta encore des poids à la barre, comme si cela pouvait l'aider à se concentrer sur ce qu'il faisait et à oublier ses émotions. Et le sexe. Et Joni Parker.

Elle était sa collègue. Mais, même si elle ne l'avait pas été, il y avait une bonne de centaine de raisons pour qu'il ne s'approche pas d'elle. Il venait juste d'être promu consultant et ne pouvait pas se laisser distraire de ce nouveau poste.

Mais les poids ne fonctionnèrent pas : il ne pouvait pas s'empêcher de penser à elle. Le rameur et le tapis roulant n'eurent pas davantage d'effet.

Il termina sa séance avec un T-shirt trempé de sueur et des muscles douloureux. Mais Joni était encore dans ses pensées. Et il la désirait toujours.

Le jeudi suivant, une adolescente vint en consultation accompagnée de sa jeune sœur et de sa belle-mère. Cette dernière avait l'air terriblement inquiète.

— Josie a de la fièvre depuis deux jours mais elle a tout le temps froid, elle vomit et a mal à la tête. Aucun calmant n'est efficace. Je craignais une méningite, mais il n'y a pas d'éruption cutanée. Notre médecin nous a envoyées ici, car il pense à la maladie de Lyme.

— Avez-vous séjourné dans un endroit où il y a des tiques ? demanda Joni.

La jeune fille restait muette, visiblement trop malade pour parler.

— C'est possible, répondit Mme Stone. Nous avons fait du camping dans le Colorado pendant deux semaines, nous sommes rentrés depuis quatre jours.

— Je ne constate aucune éruption, dit Joni après avoir examiné l'adolescente. Mais si elle a été piquée juste avant votre retour, c'est sans doute trop tôt.

Ou alors il s'agissait de tout à fait autre chose.

— Quoi qu'il en soit, dit-elle, il y a bien une infection. Nous allons effectuer des examens sanguins et commencer à traiter avec des antibiotiques à large spectre. Josie, nous allons t'admettre à l'hôpital pour mieux nous occuper de toi, ta maman pourra t'apporter des affaires.

— Ce n'est pas ma mère, articula péniblement Josie.

Mme Stone accusa le coup en silence. Il y avait manifestement des tensions dans cette famille, cela ne faisait pas bon ménage avec une maladie qui était peut-être grave.

Discrètement, Joni tapota la main de Mme Stone pour la réconforter.

— A présent, Josie, nous allons te laisser te rhabiller, puis je t'enverrai passer une radio des poumons.

— Au début, quand j'ai épousé son père, tout allait bien, expliqua Mme Stone quand elles eurent quitté la pièce. Sa mère ne lui a pas donné de nouvelles depuis des années. Mais depuis quelque temps, c'est devenu difficile. A son âge, Josie commence à chercher sa place dans le monde. C'est pour tenter d'améliorer l'atmosphère familiale que nous sommes partis camper. C'était une enfant tellement adorable…

— Les adolescents ne sont pas faciles et, de nos jours, les familles sont souvent complexes, dit doucement Joni. Il ne faut pas vous en vouloir.

— Mais c'est ma faute si elle a été piquée, dit Mme Stone. J'aurais dû tenir bon et l'obliger à utiliser un spray répulsif.

L'odeur lui donnait la nausée et elle refusait d'en mettre. J'ai pensé que j'allais perdre une bataille de plus, que ce n'était pas la peine que j'insiste. Si seulement…

Sa phrase s'acheva dans un sanglot.

— En dehors du fait que l'on ne peut pas forcer un ado à faire ce qu'il ne veut pas, les répulsifs ne sont pas efficaces à cent pour cent. Vous n'y êtes pour rien, dit Joni. Nous allons commencer les antibiotiques en attendant les résultats des tests, qui nous permettront de mieux cibler le traitement. Essayez de ne pas trop vous inquiéter.

Plus tard dans l'après-midi, les examens montrèrent que Josie n'avait pas de problème pulmonaire, mais que ses globules blancs étaient un peu trop élevés. Il fallait attendre encore deux jours pour les tests concernant la maladie de Lyme et s'armer de patience en espérant que les antibiotiques commenceraient à agir.

Joni était au milieu d'une consultation quand Nancy fit irruption dans la pièce.

— Désolée de vous interrompre, docteur Parker, mais c'est urgent.

— Que se passe-t-il ? demanda Joni quand elles furent dans le couloir.

— C'est Josie Stone. Je crois qu'elle fait un choc septique.

Oh ! non, pourvu que ce ne soit pas vrai. Dans ce genre de cas, le système immunitaire combattait l'inflammation déclenchée par une infection, ce qui entraînait la formation de caillots dans les veines et les artères. Privés d'oxygène et de nutriments, les organes commençaient à s'affaiblir.

Elle se précipita dans la salle et examina rapidement la jeune fille, veillée par sa sœur et sa belle-mère qui se tordait les mains d'angoisse. La tension de Josie était faible, sa température avait augmenté malgré les médicaments, et ses propos étaient confus.

Tout cela n'augurait rien de bon. Le choc septique semblait évident. Il fallait agir vite.

Joni demanda à Nancy d'aller chercher Aaron et mit en

place une perfusion pour éviter la formation de caillots et stabiliser la tension.

— Je vais te mettre un masque pour t'aider à respirer, Josie, dit-elle.

Aaron entra dans la salle.

— Nancy m'a dit que vous aviez besoin de moi.

Son attitude calme et son sang-froid lui firent du bien et apaisèrent la panique qu'elle sentait monter en elle. Rapidement, elle lui résuma le cas de Josie et lui décrivit le traitement qu'elle avait commencé.

— C'est exactement ainsi que j'aurais procédé, dit-il.

Pourtant, elle avait l'impression que quelque chose ne collait pas. Josie avait reçu une seconde dose d'antibiotiques, le traitement aurait dû commencer à agir. Au de lieu quoi, ses symptômes s'aggravaient.

— Nous allons effectuer d'autres examens sanguins, mais tout ce que nous pouvons faire pour l'instant, c'est attendre, dit Aaron comme s'il avait lu dans ses pensées.

Il lui toucha brièvement l'épaule en un geste de solidarité.

— N'hésitez pas à me rappeler en cas de besoin.

Joni préleva des échantillons de sang, et la belle-mère de Josie vint la rejoindre. En quittant le chevet de Josie, Joni remarqua la petite Ruby qui sanglotait. Pauvre petite. Elle devait se faire un sang d'encre pour sa sœur.

S'accroupissant près d'elle, elle lui tendit un mouchoir en papier.

— Nous allons tout faire pour que Josie aille mieux, lui dit-elle.

— C'est ma faute si elle est malade, gémit Ruby.

— Mais non, voyons…

— Si ! Josie est toujours méchante avec moi. J'ai souhaité qu'elle soit malade pour qu'elle regrette ce qui s'était passé avec l'écureuil pendant les vacances, et c'est arrivé.

Joni se souvint soudain d'un article qu'elle avait lu récemment au sujet des maladies transmises par les rongeurs.

— Que s'est-il passé avec l'écureuil ? demanda-t-elle gentiment.

— Il était mort quand on l'a trouvé. Je voulais l'enterrer, mais maman a dit qu'on n'avait pas le temps et qu'il fallait le laisser. J'ai quand même voulu le faire et dire une prière, mais Josie m'a suivie. Elle a pris l'écureuil pour le jeter dans le ravin, mais plein de choses horribles sont sorties de son ventre. C'était affreux ! Et Josie a dit… Elle a dit que j'aurais des ennuis si j'en parlais à quelqu'un.

Joni lui serra la main d'un geste rassurant.

— Ne t'inquiète pas, ma chérie. En fait, tu viens de nous dire quelque chose qui va peut-être nous aider à soigner ta sœur. Te rappelles-tu quand cela s'est passé ?

— C'était le dernier jour des vacances.

— Merci, Ruby. Tu m'as vraiment été très utile. Je vais porter les échantillons de sang et demander d'autres tests.

La petite fille esquissa un sourire timide.

— Est-ce que Josie va aller mieux ?

C'était une promesse que Joni ne pouvait pas faire tant qu'elle n'était pas certaine du diagnostic.

— Je vais faire tout ce que je peux pour qu'elle aille mieux, dit-elle.

5.

Joni retourna à son bureau et retrouva rapidement l'article qu'elle avait lu. Elle l'imprima, et alla à la recherche d'Aaron.

— Je suis pratiquement certaine que Josie Stone n'a pas la maladie de Lyme, lui dit-elle.

Elle lui raconta ce que Ruby lui avait confié à propos de l'écureuil.

— J'ai lu un article sur les rongeurs dans le Colorado et la peste bubonique.

— Vous êtes sûre que c'est de cela qu'il s'agit ? demanda-t-il, l'air sceptique. Cela fait des années que je travaille dans la médecine tropicale et infectieuse, je n'ai jamais rencontré un seul cas de peste.

— Moi non plus, mais regardez ça, répondit-elle en lui montrant l'article. Il s'agit d'un adolescent qui a eu un grave choc septique à la poitrine, il s'est avéré que c'était la peste bubonique.

Il fronça les sourcils.

— Mais la bactérie de la peste ne se transmet-elle pas par des piqûres de puces ?

— Josie a ramassé un écureuil mort. S'il y avait des puces sur lui, elles ont très bien pu la piquer — il suffit d'une puce infectée pour que la bactérie se répande. J'ai cherché des traces d'éruptions cutanées provenant de la maladie de Lyme autour de ses poignets et de ses chevilles, mais il n'y en avait aucune lorsque je l'ai examinée.

— Et les bubons ?

— Non plus. Pas d'œdèmes aux aisselles ni sur les

ganglions lymphatiques, et elle n'a pas de douleurs excepté à la tête. De plus, la période d'incubation pour la peste est de deux à six jours. Elle est malade depuis deux jours. Tout concorde, Aaron.

— Vous avez commencé le traitement aux antibiotiques ?

— Oui, mais ce ne sont peut-être pas les bons.

Elle se mordit la lèvre.

— Il est très possible que l'évolution ait été rapide et que l'on soit déjà passé de la peste bubonique à la peste septicémique, dit-elle. Nous devons faire d'autres examens sanguins. Et je pense qu'il vaut mieux mettre toute la famille sous antibiotiques prophylactiques. La jeune sœur de Josie, Ruby, est persuadée que tout est sa faute.

Aaron savait très bien ce que l'on éprouvait dans ces cas-là. Il était à peine plus âgé que la petite Ruby à la mort de Ned, mais il s'en souvenait encore très clairement, parce que son frère aîné était mort à cause de lui.

Le reste de la famille l'en tenait responsable et lui en avait toujours voulu, il en était persuadé. Si Ned ne s'était pas jeté sur lui pour le protéger du souffle de l'explosion, il n'aurait pas été blessé et emmené à l'hôpital. Et s'il n'avait pas été à l'hôpital, il n'aurait pas attrapé la malaria. Et s'il n'avait pas attrapé la malaria, il ne serait pas mort. L'enchaînement des causes et de leurs effets pesait toujours sur lui.

A l'époque, il n'était qu'un enfant et ne pouvait pas être responsable de ce qui s'était passé, mais il ne pouvait s'empêcher de se sentir coupable. Lui-même s'en était tiré avec une ou deux égratignures et un peu de claustrophobie. Mais Ned — qui aurait eu tant à donner au monde — ne s'en était pas sorti.

Pas maintenant. Il devait se reprendre.

— Allons voir Josie.

Après un examen très minutieux, Joni et lui découvrirent sur les bras de la patiente deux points minuscules, qui ressemblaient à des piqûres de puces. Il n'y avait toujours aucun gonflement des ganglions, mais Joni était certaine qu'il s'agissait de la peste.

Il hocha la tête.

— Je pense que vous avez raison. L'infection est déjà passée des ganglions aux vaisseaux sanguins. Il faut demander d'autres tests au laboratoire, mais nous allons tout de suite commencer d'autres antibiotiques et mettre Josie à l'isolement. Je veux que tout le personnel porte des gants et des masques quand ils la soigneront.

— Entendu, dit Joni. Je vais également informer le service de santé publique. La peste — bien qu'extrêmement rare — reste une maladie à déclarer obligatoirement. Et nous surveillerons la moindre apparition de rougeurs.

L'un des symptômes classiques de la maladie était une éruption cutanée d'un rouge sombre. Dans ce cas, les saignements ne pouvaient plus être contrôlés et Josie ne s'en sortirait pas.

Aaron posa une main réconfortante sur l'épaule de Joni.

— Vous avez trouvé le problème, et nous allons la surveiller de très près.

— Mmm.

Mais elle avait un mauvais pressentiment. Josie n'était pas tirée d'affaire, loin de là. Plus le traitement commençait tard, moins le résultat était bon. Même avec le traitement adéquat, si la maladie avait déjà évolué en peste septicémique, il n'y avait que cinquante pour cent de chances que Josie s'en sorte.

Lorsque Mme Stone vint rendre visite à sa belle-fille, Joni la prit à part.

— Ce que j'ai à vous dire n'est pas facile. Nous attendons d'autres résultats pour confirmation, mais nous sommes d'ores et déjà pratiquement certains que Josie a la peste.

— La *peste* ? s'exclama Mme Stone, choquée. Mais je croyais que cela faisait des années qu'elle avait disparu…

— Non. Elle est toujours présente dans certaines parties du monde, dit Joni. Par précaution, nous allons devoir mettre toute la famille sous traitement antibiotique, au cas où Josie aurait contaminé l'un de vous.

— Mais je croyais que la peste était transmise par les rats ?

— Par les puces des rongeurs.

Elle raconta ce que Ruby lui avait confié à propos de l'écureuil.

Mme Stone eut l'air horrifié.

— Oh ! mon Dieu. Alors mes deux filles pourraient être infectées ?

— Je ne crois pas que Ruby ait touché à l'écureuil et elle ne montre aucun des symptômes de Josie. Il est donc peu probable qu'elle ait été piquée. Mais je ne vais pas vous mentir, dit Joni en lui prenant la main. Cela ne va pas être facile.

— Vous voulez dire que Josie pourrait… ? demanda Mme Stone, les yeux écarquillés. Non, non. Ce n'est pas possible.

— Nous faisons de notre mieux, mais elle est très malade.

Josie ne répondit pas au nouveau traitement antibiotique et, le lendemain matin, Joni était au milieu d'une consultation lorsque Shelley, une des nouvelles infirmières, vint la chercher.

— Josie Stone a fait un arrêt cardiaque, dit-elle. Mikey est sur place, mais Nancy a également besoin de vous.

— J'arrive tout de suite. Pouvez-vous prévenir Aaron, et appeler Mme Stone pour lui demander de venir ?

— J'y vais.

— Merci, Shelley.

Ayant enfilé des gants, une blouse longue et un masque, Joni se rendit dans la chambre d'isolation, où Mikey et Nancy avaient déjà intubé Josie et pratiquaient alternativement des compressions sur la poitrine tout en la ventilant.

Le défibrillateur était déjà en charge. Joni appliqua les pads sur la poitrine de Josie.

— Prêts à charger à deux cents, annonça-t-elle, vérifiant que tout le monde avait ôté ses mains de la patiente avant qu'elle n'envoie la première décharge.

— Pas de changement, dit Nancy en regardant le moniteur.

Une deuxième décharge n'eut pas davantage de résultat, pas plus qu'une troisième, plus forte.

Il *fallait* que cela marche. Elle administra de l'adrénaline et Mikey reprit les compressions. Au bout d'une minute, toujours rien.

Aaron entra à cet instant et se joignit à l'équipe.

— On ne *peut pas* la perdre, fit Joni comme pour elle-même.

Ils reprirent le défibrillateur, vérifiant le moniteur après chaque décharge, et travaillèrent ainsi ensemble pendant une demi-heure.

Finalement, Aaron posa la main sur l'épaule de Joni.

— C'est fini, dit-il.

Elle ouvrit la bouche pour chercher de l'air.

— Encore une. S'il vous plaît, juste une seule.

— C'est fini, dit-il de nouveau avec douceur. Cela fait une demi-heure que nous essayons. Vous savez aussi bien que moi que ça ne peut plus marcher. Son cœur s'est arrêté, les dommages étaient trop importants.

Elle ferma les yeux pour retenir ses larmes. C'était toujours dur de perdre un patient, et cela arrivait rarement dans son service.

— Bon, dit-elle, regardant chaque membre de l'équipe l'un après l'autre. Vous êtes tous d'accord pour que j'arrête ?

Mikey, Shelley et Nancy hochèrent tous la tête d'un air grave.

— Heure du décès : 11 h 45, annonça-t-elle. Merci à tous pour vos efforts. C'est…

Elle déglutit avec peine, incapable de continuer. Que pouvait-on dire quand une adolescente mourait ? Toute cette jeune vie en devenir, tout cet avenir balayés d'un seul coup. Comment sa famille pourrait-elle jamais s'en remettre ?

— Nous avons fait tout ce qu'il était possible de faire, dit gentiment Aaron.

Mais cela n'avait pas suffi.

— Est-ce que les Stone sont là ? demanda-t-elle.

— Pas encore, répondit Nancy. Nous leur avons laissé un message.

— Voulez-vous que je leur parle quand ils seront là ? demanda Aaron.

Elle secoua la tête.

— Merci, mais… Josie est — *était* — ma patiente. Et les vôtres vous attendent.

Tout comme elle.

Il lui jeta un regard scrutateur.

— N'hésitez pas à m'appeler si vous avez besoin, d'accord ?

— Merci.

Elle répondit à peine, craignant de fondre en larmes devant lui — ce qui n'aurait pas été professionnel.

Elle venait juste de compléter le dossier de Josie et de finir de la préparer pour que sa famille puisse la voir quand Shelley entra.

— Mme Stone et sa petite fille sont là, dit-elle, les yeux pleins de sollicitude.

Au secours. C'était déjà difficile d'annoncer ce genre de nouvelle à des adultes. Mais à une enfant…

Mme Stone se leva en la voyant.

— Comment va-t-elle ? demanda-t-elle, l'air anxieux. Quand l'infirmière nous a demandé d'attendre ici… Son état a empiré, n'est-ce pas ?

Joni lui prit la main.

— Je suis désolée.

C'était la partie de son métier qu'elle détestait vraiment.

— Elle — elle n'est pas… ?

Le visage de Mme Stone se figea d'horreur.

— Son cœur s'est arrêté de battre ce matin, dit Joni avec toute la douceur dont elle était capable. Nous avons fait tout ce que nous pouvions pour le faire repartir, mais elle était trop atteinte par la maladie. Je suis sincèrement désolée.

Mme Stone et sa fille étaient toutes deux anéanties par la nouvelle. Malgré son sentiment d'impuissance, Joni resta un moment à tenter de les réconforter. Elle n'avait pas pu sauver Josie.

Plus tard dans l'après-midi, Aaron entra dans le bureau où Joni terminait ses notes sur les consultations de l'après-midi. Il remarqua qu'elle avait pleuré, car ses yeux étaient légèrement rouges et gonflés.

— Est-ce que ça va ? demanda-t-il doucement.

Elle soupira.

— Pas vraiment. On ne perd pas beaucoup de patients ici, et chaque fois je suis en miettes. Surtout quand il s'agit d'un enfant. D'ailleurs... c'est pour ça que je n'ai jamais pu travailler aux urgences.

— En tout cas, ce n'était pas votre faute, dit-il. Vous avez parfaitement suivi les protocoles et rassemblé toutes les pièces du puzzle, en voyant ce qui nous avait échappé à tous.

— Mais cela n'a pas suffi.

Elle releva la tête.

— Désolée, je ne devrais pas vous ennuyer avec ça. J'ai appelé ma mère, je vais aller la voir après le travail. Rien de tel qu'une soirée en famille pour se sentir mieux.

En famille.

Il resta immobile, sans rien dire. Normalement, il aurait dû la prendre dans ses bras pour la réconforter — comme cela se passe entre collègues — mais il se rappelait encore ce qu'il avait éprouvé quand il l'avait serrée contre lui et savait qu'il aurait été capable de faire quelque chose de tout à fait stupide. Comme de l'embrasser pour chasser sa tristesse, par exemple.

En même temps, il se sentait mélancolique et un peu envieux. Comme cela devait être bon d'être soutenu par une famille — de savoir qu'il était possible, après une mauvaise journée, de passer un coup de fil et de se faire remonter le moral, sans que ce signe de faiblesse ne suscite de mépris.

Sa propre famille était beaucoup plus distante — et pas seulement géographiquement. Depuis la mort de Ned...

Il repoussa cette pensée. Il n'allait pas de nouveau laisser tout le malheur du monde s'abattre sur lui maintenant.

— Si je peux faire quelque chose… dit-il, espérant que Joni ne le prendrait pas au mot, car il détestait les épanchements. Vous savez où je suis.

— Oui. Et merci.

Elle leva la tête et le regarda.

— Aaron, et vous, est-ce que ça va ?

Personne ne lui avait jamais demandé ce qu'il ressentait.

— Je vais bien, répondit-il.

— Josie était aussi votre patiente, vous ne devez pas vous sentir bien non plus. Et si vous veniez avec moi chez mes parents, après le travail ?

Pendant une seconde, il fut tenté. Mais cela aurait été un énorme pas dans une direction où il ne voulait pas se risquer. Tout attachement émotionnel ne pouvait que faire souffrir. Il était beaucoup plus sensé de garder ses distances.

— Merci pour la proposition, mais ça va, répondit-il. Je vais sans doute aller faire de la gym.

— Mon amie Bailey approuverait. C'est bon pour les endorphines, dit-elle en s'efforçant de sourire.

La semaine suivante, l'atmosphère dans le service fut comme feutrée. Même le début de la traditionnelle soirée mensuelle manqua d'entrain, jusqu'à ce que tout le monde se retrouve sur le mur d'escalade, concentré sur des mouvements physiques plutôt que sur des bleus à l'âme.

C'était la première fois que Joni voyait Aaron en jean. Il faisait plus jeune et cela le rendait moins distant.

— Je ne crois pas qu'il ait quelqu'un actuellement, lui souffla Nancy à un moment.

— Qui ça ?

Nancy leva les yeux au ciel.

— Ma chère, je vois bien la façon dont vous le regardez. Vous savez très bien de qui je parle. Pourquoi ne pas lui proposer de sortir un soir ?

Joni n'avait aucune envie que ses collègues soient au courant de « la » fameuse nuit.

Elle se retrancha derrière une excuse commode.

— Parce que nous travaillons ensemble. L'atmosphère serait trop gênante après, quand il aura refusé.

— Pourquoi ferait-il ça ?

Joni fit la grimace. N'était-ce pas évident ?

— Je crois que je pourrais étrangler ce Marty, dit Nancy. Il savait qu'il n'était pas assez bien pour vous, alors il a effectué un vrai travail de sape sur votre propre estime. Rompre vos fiançailles est la meilleure chose que vous ayez jamais faite. Maintenant, il faudrait passer à l'étape suivante et commencer à voir quelqu'un d'autre, pour en finir une bonne fois avec ce type.

Joni esquissa un sourire désabusé.

— Vous, vous avez parlé à Bailey.

— Pas du tout. Je dis seulement ce que tout le monde pense. Vous êtes une fille adorable et vous avez tant à donner… Mais je suppose que votre maman vous a déjà dit tout ça ? fit Nancy en souriant.

— Eh bien, oui, reconnut-elle. De même que mes frères, mon père et mes grands-mères…

— Vous voyez bien.

— Mais cela n'arrivera pas, Nancy. Il vaut mieux que Aaron et moi restions simplement collègues.

Joni passa le reste de la soirée à s'efforcer de ne plus penser à cette fameuse nuit. Car il était inutile de s'imaginer qu'elle pourrait se reproduire.

6.

Puis, la semaine suivante, arriva la formation à l'esprit d'équipe. Joni, Aaron et Mikey furent envoyés au centre d'aventures en plein air avec une partie du personnel médical des urgences, de la salle des enfants et de la maternité.

Après quelques instructions, l'animateur les envoya sur un parcours d'obstacles. A chaque étape, une nouvelle personne devait faire confiance au reste du groupe pour le soulever par-dessus l'obstacle, ou le guider, les yeux bandés, sur une partie du parcours.

— On est à la troisième place. Ce n'est pas mal, dit Aaron quand ils franchirent la ligne d'arrivée.

— Vous avez bien travaillé ensemble, répondit l'animateur en souriant. C'est un très bon début.

Joni, elle, avait hâte que ce soit fini, pour retourner travailler à l'hôpital.

Après une brève pause accompagnée de thé et de biscuits, l'animateur leur présenta un nouveau défi.

— C'est une course au trésor à faire à deux, dit-il. Chacun de vous aura une carte et un premier indice, qui vous mènera au suivant, et ainsi de suite. Le dernier indice vous conduira à une boîte contenant un message. Le premier duo à nous appeler avec le message est le gagnant. Nous vous présenterons l'activité suivante pendant le déjeuner.

Cela faisait cinq jours qu'il pleuvait sans discontinuer, si bien que la course d'obstacles les avait laissés couverts de boue. La course au trésor leur laisserait-elle une chance de sécher ? Joni croisa les doigts.

— Et voici les couples… dit l'animateur en commençant à débiter sa liste.

Peut-être cette fois-ci mélangeraient-ils les différents services, pour leur permettre de fonctionner comme une équipe élargie plutôt qu'au sein de leur groupe habituel…

— … Joni Parker et Aaron Hughes…

Génial. Aaron avait été plutôt silencieux jusque-là. Elle n'avait pu s'empêcher de rougir quand il l'avait soulevée pendant la première activité, se rappelant la manière dont il l'avait portée jusqu'à son lit la nuit de leur rencontre. Elle avait cru voir une lueur dans son regard, comme si lui aussi se souvenait — ce qui n'avait fait que compliquer les choses.

— Nous sommes donc tous les deux, dit Aaron d'un ton neutre.

Etait-il gêné, déçu, voire méfiant ? Comment savoir ? Habituellement, elle était assez douée pour lire dans les pensées des gens, mais avec lui, elle était déconcertée.

Faire semblant de se concentrer sur la carte et d'étudier l'énigme était finalement plus simple que de faire face à Aaron.

— Je pense que nous devrions nous diriger par là, dit-elle en pointant un endroit sur la carte.

Il lut l'énigme et hocha la tête.

— D'accord.

Il ne leur fallut pas longtemps pour parvenir à destination et découvrir l'énigme suivante. C'était une anagramme assez facile, qu'ils trouvèrent en même temps.

— Voilà du vrai travail d'équipe, dit-il. Nous fonctionnons de la même façon.

C'était peut-être vrai en situation de travail, mais pas sur un plan personnel. Il était certes très amical et poli avec tout le monde dans le service, mais il gardait une certaine distance avec les autres. En surface, il s'intégrait parfaitement, mais il n'avait pas de relation plus profonde avec qui que ce fût. Il restait toujours sur sa réserve.

Qu'il lui ait proposé de venir chez lui après le club de

salsa était d'autant plus étonnant. Ce comportement ne lui ressemblait guère.

Mais elle ne lui poserait jamais la question. C'était bien trop personnel. Et ces deux dernières semaines, s'il y avait une chose qu'elle avait apprise sur lui, c'était qu'il n'offrait aucune prise dans ce domaine. Il était bon médecin, avait un excellent contact avec les patients et travaillait très dur — jusqu'à rester à la fin de son service pour conseiller les plus jeunes membres de l'équipe. Cependant, elle ne savait pratiquement rien de plus sur lui que le jour où ils avaient fait connaissance.

Il éludait toute interrogation personnelle, se contentant généralement de sourire et de répondre par une question afin de détourner la conversation. C'était intrigant : qu'avait-il donc à cacher ? Elle devait à tout prix éviter de s'attacher une nouvelle fois à quelqu'un qui était coupé de ses émotions.

En même temps, quelque chose chez lui l'attirait. Qui était l'homme qui se retranchait derrière tant de barrières ? Elle l'avait entraperçu une ou deux fois et avait aimé ce qu'elle avait vu.

Elle se reprit. C'était une journée de travail, de formation, pas l'occasion de fantasmer sur un homme qui lui avait clairement signifié que leur aventure n'irait pas plus loin qu'une nuit. Terminé.

Le dernier indice les mena à un tunnel derrière un petit bois.

— Vous prenez la partie gauche du tunnel, moi la droite, et le premier qui trouve l'énigme appelle l'autre ? proposa Aaron.

— Entendu, dit-elle, allumant sa lampe de poche avant de s'enfoncer dans l'obscurité.

Elle venait juste de trouver la boîte contenant leur dernier message quand elle entendit un grondement sourd suivi d'un craquement, et la lueur de jour qu'elle apercevait au loin disparut complètement.

— Aaron, ça va ? appela-t-elle, inquiète.

— Oui, et vous ?

— Tout va bien.

— Je suis droit devant vous, dit-il.

Elle aperçut la lumière d'une lampe électrique à quelques mètres.

— Que s'est-il passé ? demanda-t-elle.

— Il a beaucoup plu ce mois-ci, je suppose qu'une partie du plafond du tunnel était saturée d'eau et s'est effondrée.

Elle le rejoignit en faisant bien attention et ils constatèrent que la sortie était bloquée. Ils se rapprochèrent de l'endroit où devait se trouver l'entrée du tunnel et braquèrent leurs lampes dessus, mais on ne pouvait voir qu'un amas de gravats.

— Si on tentait de se frayer un chemin ? proposa-t-elle.

Il se pencha pour voir l'éboulement de plus près et prit un peu de terre qui s'effrita entre ses doigts.

— Il ne vaut mieux pas. Nous risquerions de provoquer un nouvel écroulement et de nous retrouver enterrés au milieu.

— On dirait que vous parlez d'expérience, dit-elle.

— On peut dire ça, répondit-il sèchement.

Elle sortit son téléphone portable pour alerter les organisateurs.

— Super. Aucun signal.

— C'est sans doute parce que nous nous trouvons partiellement sous terre.

— Mais alors, on ne va même pas pouvoir envoyer un texto pour prévenir que nous sommes bloqués ici…

Il fit un essai avec son téléphone et poussa un soupir.

— Je n'ai rien non plus.

— Alors, qu'est-ce qu'on fait ?

A cet instant, il y eut un autre grondement et un peu de terre tomba du plafond.

— Si les organisateurs n'ont pas de nos nouvelles d'ici le déjeuner, ils se rendront sûrement compte que quelque chose ne va pas, dit-il. Ils vont vouloir nous appeler et commenceront à nous chercher. Tout ce que nous avons à faire, c'est de nous mettre dans un endroit stable et d'attendre qu'ils nous trouvent.

— Mmm.

Super. Etre bloquée dans un tunnel avec un homme qui évitait toute conversation personnelle... Le temps allait être long.

— Avez-vous ce qu'il faut d'insuline ? demanda-t-il.

Elle apprécia qu'il s'en inquiète.

— Ça va, répondit-elle. J'en prends deux fois par jour, je n'en ai donc pas besoin avant ce soir. Cependant, j'ai toujours une dose supplémentaire sur moi, ainsi que des hydrates de carbone rapidement assimilables, je peux donc voir venir. Mais comment reconnaître un endroit stable pour nous abriter ?

Elle était un peu nerveuse.

— En écoutant les bruits et en repérant les endroits où il y a eu des éboulements, répondit-il. Heureusement que nous avons nos lampes. Oh ! et veillez à diriger le faisceau lumineux vers le sol. Dans un environnement aussi sombre, mieux vaut éviter de s'éblouir, nos pupilles sont à leur dilatation maximum.

Ils restèrent silencieux un moment. Joni n'entendait rien, et ne remarqua aucun nouvel éboulement. Il n'y avait plus qu'à espérer que le reste du tunnel soit stable.

— Je pense que nous serons en sécurité ici, dit Aaron en s'approchant du mur. Mais ne nous asseyons pas directement par terre, cela nous ferait perdre beaucoup de chaleur corporelle.

Il ôta sa veste et l'étala sur le sol.

— Elle est imperméable, nous ne sentirons pas l'humidité.

— Mais vous n'aurez pas froid ?

Il se contenta de secouer la tête.

— Comment savez-vous tout cela ? lui demanda-t-elle. Vous avez fait de l'escalade, ou de la randonnée ?

— Manchester est très proche d'une zone montagneuse. Je connaissais des personnes aux urgences qui faisaient partie de l'équipe de sauvetage en montagne, ils avaient affaire aux varappeurs et aux spéléologues.

Il avait dit « des personnes », pas « des amis ».

— Et vous alliez avec eux ?

— Pas moi. Découvrir des grottes n'a jamais été mon truc.

Sa voix était légèrement tendue et elle aurait aimé en savoir davantage, mais elle ne voulait pas le pousser plus loin.

A sa surprise, ce fut lui qui rompit le silence.

— J'ai été enterré sous des décombres quand j'avais huit ans, dit-il. Alors je ne suis pas spécialement attiré par ce qui se passe sous terre.

— Oh. Que s'est-il passé ?

Elle se reprit aussitôt.

— Pardon, je ne voudrais pas être indiscrète.

— Vous pouvez rajouter une pièce dans la boîte à excuses, dit-il avec un léger sourire. C'est moi qui vous ai incitée à m'interroger.

Elle ne répondit pas, lui laissant le loisir de poursuivre s'il le voulait.

— Il y a eu une bombe, dit-il. Mes parents sont dans les forces armées. A l'époque, nous habitions une zone de guerre. Je venais de rentrer de l'école quand notre maison a été touchée.

— Les secours ont mis longtemps à vous faire sortir ?

— Cela m'a paru durer des heures, mais quand on est jeune et qu'on tremble de peur dans le noir sous un tas de décombres, on a tendance à perdre la notion du temps.

Il parlait avec calme et détachement, d'une voix apparemment dénuée de toute émotion.

— Après ça, mes parents m'ont envoyé en pension en Angleterre, pour que je sois en sécurité.

En sécurité, peut-être, mais seul. Il avait dû avoir l'impression d'être puni parce qu'il avait eu peur. Beaucoup d'adultes auraient été terrifiés et fait des cauchemars après une telle expérience. Pour un jeune enfant, le traumatisme avait certainement été énorme.

— Cela a dû être dur pour vous…

Il haussa les épaules.

— J'ai survécu. Et vous ? Avez-vous déjà fait de la spéléo ?

— Non, c'est beaucoup trop dangereux pour moi,

répondit-elle en riant. Je crains d'être assez peureuse. J'ai passé une grande partie de ma vie dans ma bulle, comme enveloppée dans du coton.

— A cause du diabète ?

— En partie.

Elle plissa le nez.

— C'est une longue histoire…

— J'ignore combien de temps nous allons devoir rester ici, on ferait mieux d'économiser la lumière, dit-il. D'accord pour rester un peu dans le noir ?

Et lui, que ressentait-il, après ce qu'il avait vécu ? Elle garda sa question pour elle. Mais peut-être faisait-il taire son appréhension et se sentait-il mieux en pensant qu'il pouvait lui apporter sa force et son réconfort.

— L'obscurité ne me dérange pas, tant que je ne pense pas trop aux araignées, répondit-elle.

— Elles ont encore plus peur de vous, dit-il en éteignant la lumière.

— Parlez-moi d'autre chose, pour me distraire.

— Comme quoi ?

C'était une question personnelle, mais elle s'y risqua néanmoins.

— Pourquoi avez-vous choisi la médecine tropicale et les maladies infectieuses, comme spécialité ?

Aaron maugréa intérieurement. Il aurait sans doute dû inventer une raison — raconter qu'à la suite d'une conférence à l'université, il avait flashé sur la médecine tropicale. Ou quelque chose comme ça. Mais les mots ne venaient pas.

Le silence se prolongeait, et il n'arrivait toujours pas à trouver une raison convenable.

Finalement, il opta pour la vérité.

— Mon frère a eu la malaria, fit-il.

— Et vous avez voulu étudier la spécialité qui l'avait sauvé — comme une sorte de manifestation de gratitude ? demanda Joni.

— Elle ne l'a pas sauvé.

Il entendit l'exclamation qu'elle tenta de réprimer. Elle devait se sentir coupable de l'avoir interrogé.

Il sentit sa main chercher la sienne et lui serrer le bout des doigts.

— Je suis désolée. Cela a dû être très difficile pour vous et toute votre famille.

On pouvait dire ça. Ses parents n'avaient plus jamais été les mêmes. Et ils l'avaient envoyé loin. Pour sa sécurité, bien sûr, mais probablement aussi parce que sa présence leur aurait constamment rappelé celui qu'ils avaient perdu.

— C'était ma faute, dit-il.

Oh ! non. Il n'avait pas voulu dire ça, mais les mots lui avaient échappé.

Elle avait toujours ses doigts mêlés aux siens. Comment pouvait-elle le supporter, à présent qu'elle connaissait l'horrible vérité à son sujet ?

— Que s'est-il passé ? demanda-t-elle avec douceur.

Il eut d'abord envie de la repousser, puis de la serrer dans ses bras pour se réconforter. Hésitant entre les deux, il resta figé.

— Aaron ?

Cette fois, elle ne renoncerait pas, se dit-il. Et elle ne lui lâchait toujours pas la main. Ils étaient coincés ensemble dans le noir pour une durée indéterminée.

Alors il céda.

— Quand la bombe est tombée… je n'étais pas seul à la maison. Mon frère était là aussi. J'avais faim, j'étais en train de me faire un sandwich.

Doté d'un caractère agréable, facile à vivre, Ned avait été le seul de la famille à supporter qu'Aaron le suive partout. Il ne l'avait jamais considéré comme une gêne.

Aaron avait toujours su que sa naissance n'avait pas été planifiée — ses trois frères et sœur s'étaient succédé à deux ans d'intervalle, alors que lui, le benjamin, avait huit ans de moins que Ned. Mais ce dernier ne lui avait jamais fait sentir qu'il l'ennuyait. Il avait construit des modèles d'avion avec lui, lui avait appris à jouer au cricket... Aaron l'adorait.

Sa mort avait pesé terriblement lourd sur ses épaules. Même près d'un quart de siècle plus tard, il se sentait toujours coupable.

— Lorsqu'on a senti le souffle de la bombe, il m'a jeté au sol et couvert de son corps. C'est lui qui a été blessé. Je ne pouvais rien faire pour l'aider, à part lui parler et lui raconter des blagues idiotes — n'importe quoi pour faire passer le temps en attendant que quelqu'un vienne nous déterrer.

Il s'interrompit pour chercher de l'air. Pourquoi racontait-il tout cela à Joni ? Il ne parlait jamais de Ned. Jamais.

Mais être piégé dans un tunnel partiellement écroulé avait réveillé ses souvenirs avec une telle clarté qu'à présent, il ne pouvait plus retenir ses paroles.

— Ils ont fini par nous dégager, ils ont emmené Ned à l'hôpital. Mais là-bas, il y a eu une erreur dans les médicaments contre la malaria. Vous savez que, même quand on les prend tout le temps, on n'est pas protégé à cent pour cent. Et si on ne les prend pas une ou deux fois, et que l'on est piqué par un moustique...

Il ferma les yeux, mais voyait encore le visage de Ned.

— Et il a attrapé la malaria.

— *Falciparum ?*

La forme la plus grave, celle qui pouvait entraîner des complications fatales.

— Oui, répondit-il avec effort.

— Je suis vraiment navrée. Cela a dû être terrible pour vous.

D'autant plus qu'il n'avait pratiquement pas été autorisé à rendre visite à Ned. On lui avait clairement fait comprendre qu'il ne devait pas gêner — lui, le petit dernier de la famille, toujours en travers du chemin.

Il hocha la tête en silence.

— Mais, Aaron... vous étiez enfant, vous n'aviez que huit ans quand cela s'est passé. Ce n'était pas votre faute.

Ne voyait-elle vraiment pas ? La chaîne de causalité était pourtant simple.

— Si Ned ne s'était pas jeté sur moi, il n'aurait pas été blessé par l'éboulement. Il n'aurait pas été emmené à l'hôpital, et il n'aurait pas eu la malaria.

— J'ai deux jeunes frères, répondit-elle. Nous avons six et huit ans d'écart, ce qui fait à peu près la même différence d'âge qu'entre vous et Ned. Et je peux vous assurer que, si nous nous étions trouvés dans les mêmes circonstances, j'aurais fait exactement la même chose que Ned.

Cela ne l'aidait pas. Pas du tout.

— Si j'avais été blessée dans les décombres, je n'aurais pas blâmé mes frères, dit-elle. Seules les personnes qui ont jeté la bombe sont coupables.

Intellectuellement, il comprenait qu'elle avait raison. Mais dans son cœur, il ne se pardonnerait jamais la perte de Ned. Il s'en voudrait toujours d'avoir été celui qui avait survécu.

Elle sembla lire dans ses pensées.

— Je me trompe peut-être, mais j'ai l'impression que vous éprouvez la culpabilité du survivant.

Il ne répondit pas.

— Et je suis certaine que vos parents s'en veulent tout autant, parce qu'ils n'étaient pas là quand le drame a eu lieu.

— C'est ridicule. Ce n'était pas leur faute.

— La vôtre non plus.

Il n'avait pas envie de discuter avec elle là-dessus.

— Ned avait tellement à donner. Il voulait devenir médecin, et je suis sûr qu'il aurait été excellent.

— Est-ce pour cette raison que vous êtes médecin ? Parce qu'il n'a pas eu la chance d'accomplir son destin ?

— En partie, reconnut-il. Et aussi parce qu'une partie de moi voulait lui ressembler. Mais je suis aussi médecin pour moi, pour aider les autres.

Et pour pouvoir les sauver sans se sentir impuissant comme durant les derniers jours de Ned.

— Avez-vous eu un suivi psychologique après la mort de Ned ? demanda-t-elle.

Dans une famille qui mettait un point d'honneur à garder la tête haute, on n'avait pas recours à des psychologues. On ne parlait jamais aux autres de ses problèmes. On continuait à aller de l'avant, en ignorant ses propres sentiments.

D'ailleurs, jamais il n'aurait dû lui raconter tout cela.

— Cela pourrait vous faire du bien de parler à quelqu'un, fit-elle. Cela vous aiderait à vous rendre compte par vous-même que vous n'étiez pas responsable.

— Je le sais déjà, répondit-il, ce qui était un pur mensonge.

Il fallait absolument qu'ils changent de sujet.

— Parlez-moi de vos frères, dit-il.

C'était la première fois qu'Aaron posait une question vraiment personnelle à Joni. Depuis qu'ils s'étaient retrouvés, si proches, dans le noir, elle avait senti s'installer peu à peu l'intimité qu'ils avaient connue lors de leur première rencontre, quand ils croyaient ne jamais se revoir.

A présent, elle commençait à comprendre comment il fonctionnait.

Il était le benjamin d'une famille dédiée aux forces armées, qui déménageait constamment en fonction des mutations. Il n'avait jamais eu la chance de s'installer quelque part et de se faire des amis. Cette situation aurait pu amener les membres de la famille à resserrer les liens entre eux, puisque celle-ci constituait le seul élément stable de leur vie. Ou bien ils avaient pu être tentés de se forger une carapace et éviter d'être proche de quiconque, y compris de leur famille. Surtout depuis la mort de Ned.

Cela expliquait pourquoi Aaron était poli et agréable avec tout le monde, tout en maintenant une distance entre lui et les autres. Parce qu'il avait peur de s'attacher à quelqu'un et de le perdre, comme il avait perdu son frère.

— Luke fait des études d'architecture et Olly est professeur de musique pendant la journée, dit-elle. Le soir et les week-ends, il est guitariste dans un groupe de rock.

— Tu sembles fière de lui, dit-il, repassant spontanément au tutoiement.

— En effet. Il est brillant, Luke et moi allons toujours le voir jouer, quand il donne un concert. Ils vivent tous les deux à Londres. Souvent, nous aimons nous retrouver d'abord pour dîner. Je les adore tous les deux, même s'ils ont parfois tendance à vouloir me mener à la baguette, fit-elle en riant.

— Tu es pourtant l'aînée, dit-il, surpris. Ça ne serait pas à toi de te montrer autoritaire ?

Elle rit de nouveau.

— C'est ce que j'ai essayé de leur expliquer, mais ils ne m'écoutent pas. Je pense qu'ils ont tendance à me surprotéger à cause du diabète. Il faut dire qu'il a été découvert dans des circonstances relativement dramatiques. Je voyageais en Europe avec Bailey pendant les vacances d'été, à la fin de ma première année d'études de médecine. On avait un ticket qui nous permettait d'aller d'un pays à l'autre pendant un mois entier et on voulait découvrir le plus d'endroits possible. Je ne me sentais pas très bien, mais pas question pour moi de gâcher notre voyage en me plaignant. On venait juste d'arriver à Venise après avoir quitté Rome quand je me suis évanouie, j'ai dû être emmenée à l'hôpital dans une ambulance fluviale. C'est là qu'on a découvert que j'avais une acidocétose.

Joni avait parlé d'un ton léger, mais Aaron savait comme elle qu'une acidocétose diabétique aurait pu être fatale. Pas étonnant que sa famille l'ait surprotégée. Ils avaient dû avoir terriblement peur de la perdre.

— Tu ne te doutais vraiment pas que tu étais diabétique ?

— Pas du tout. Cela faisait quelques jours que je me sentais fatiguée et nauséeuse, mais j'ai pensé que c'était parce que l'on marchait beaucoup au soleil de midi. Comme j'avais perdu mon chapeau, je pensais avoir une légère insolation, et que c'était pour cette raison que j'avais tout le temps soif. Je n'étais qu'en première année de médecine.

— Ton amie a dû être terrifiée de devoir gérer une urgence dans un pays étranger.

— Heureusement pour nous, la maman de Bailey est italienne, si bien qu'elle parle couramment la langue. Elle a pu servir d'interprète entre les médecins et moi, et aussi avec mes parents. Ils se sont précipités à Venise quand Bailey les a appelés. Pour finir, je n'ai jamais pu faire cette balade en gondole que nous avions projetée, fit-elle d'un ton désabusé.

— Une autre fois, peut-être… Alors, tu as beaucoup voyagé ?

— Pas vraiment. Quand j'étais plus jeune, on louait un cottage au bord de la mer pendant l'été. Papa n'aimait pas tellement partir à l'étranger. C'est seulement vers l'âge de huit ans, quand maman a pris contact avec mes grands-parents, que nous sommes allés leur rendre visite en Arizona.

— En Arizona ?

— Hum. C'est l'autre raison pour laquelle papa me protège trop. Maman n'est pas ma mère biologique. Ils se sont rencontrés lorsque j'avais trois ans. C'était ma maî-tresse à l'école maternelle. Ajei est morte d'une embolie pulmonaire le lendemain de ma naissance.

Il prit conscience que leurs doigts étaient toujours enlacés et exerça une pression sur sa main.

— Désolé.

— Oh ! je ne l'ai jamais connue qu'en photos. Sur chacune, elle souriait et semblait heureuse. C'est elle qui m'a appelée Nizhoni.

— Je n'avais jamais entendu ce nom auparavant, dit-il.

— C'est normal, il faut être d'une certaine région des Etats-Unis pour cela. C'est navajo — la langue maternelle de ma mère biologique. Cela veut dire « belle ». C'est la première chose qu'elle a dite en me voyant.

Il lui serra de nouveau les doigts.

— Donc, ta mère était navajo ?

— De la tribu Diné, ce qui signifie « le peuple ». Elle était étudiante en art et apprenait l'orfèvrerie. Elle faisait des bijoux magnifiques, en turquoise et argent. Papa était allé étudier l'art à Los Angeles pendant un an. Ils sont tombés amoureux, et je suis arrivée. Je n'étais pas prévue. Mes grands-parents n'étaient pas très contents. Mais Ajei était leur unique enfant et ils voulaient son bonheur.

Ses doigts se resserrèrent autour des siens.

— Quand elle est morte, il y a eu une terrible dispute entre mes grands-parents et mon père. Il leur reprochait d'avoir encouragé ma mère à accoucher chez elle, alors qu'elle aurait peut-être pu être sauvée à l'hôpital. Et mes grands-parents lui reprochaient d'avoir mis leur fille enceinte. Ils étaient tous pleins de colère et de chagrin, incapables de voir le point de vue de l'autre. Excédé, papa a fini par s'en aller et m'a emmenée chez lui, en Angleterre. Il n'a plus eu de contacts avec eux, jusqu'à ce que maman le persuade de refaire quelques pas vers eux.

— Ta maman a l'air d'être quelqu'un, dit-il. Tes deux mamans, d'ailleurs.

— C'est vrai. Ajei signifie « mon cœur », c'est la première chose que ma grand-mère a dite quand elle l'a tenue, tout bébé, contre elle. Papa raconte qu'il y avait quelque chose chez elle qui lui donnait l'impression que le soleil venait juste de se lever. Marianna, ma mère actuelle, est quelqu'un de brillant. Elle m'a toujours traitée comme sa fille et ne m'a jamais fait sentir que j'étais une belle-fille non désirée.

— C'est pourquoi la mort de Josie Stone t'a autant touchée, dit Aaron. Parce qu'elle était une belle-fille, comme toi.

— Oui, sans doute, dit-elle avec un soupir.

— Comment ta mère s'est-elle débrouillée pour que ta famille se réconcilie ?

— Elle a convaincu mon père que j'avais vraiment besoin de savoir d'où je venais, et que mes grands-parents avaient besoin de connaître leur petite-fille. Il devait se sentir coupable, d'une certaine façon, car il a accepté. Elle a retrouvé leur trace et leur a envoyé une photo de moi. Ils nous ont invités en Arizona et tout le monde s'est excusé. A présent, je vais chaque année passer une quinzaine de jours là-bas, dans mon autre famille. Depuis que *Shima sani*, ma grand-mère, a internet, on skype une fois par semaine et on s'envoie des e-mails.

— Tu parles navajo ? demanda-t-il.

— Un peu. Je ne pourrais pas tenir une conversation, mais je connais les noms de toute ma famille, et je sais dire « je t'aime », des choses comme ça. En fait, un de mes arrière-grands-oncles était un spécialiste des codes secrets pendant la Seconde Guerre mondiale, dit-elle. Ils envoyaient des messages codés qui n'étaient jamais déchiffrés par l'ennemi. Ils travaillaient très vite — il leur fallait à peine vingt secondes pour coder, transmettre et décoder un message de trois lignes en anglais, alors qu'il fallait au moins une demi-heure aux machines de l'époque pour effectuer le même travail.

Il y avait de la fierté dans sa voix.

— Tu as des gens étonnants dans ta famille, dit-il.

— Les Diné sont étonnants, reconnut-elle. Et je suis vraiment fière de ma famille.

— Cela explique aussi l'incroyable chevelure qu'ils t'ont léguée.

— Tu aimes mes cheveux ?

— Oui. Cela te surprend encore ?

— C'est compliqué, soupira-t-elle. Et je te dois une excuse.

— Pourquoi ?

— A propos de cette nuit, au club de salsa. J'ai un peu honte parce que… je me suis en quelque sorte servie de toi pour oublier le jour de mon mariage.

7.

Aaron secoua la tête, déconcerté.

— Je ne comprends pas…

— Le jour de notre rencontre était censé être celui de mon mariage, sauf qu'il n'a pas eu lieu, répondit Joni.

— Et tu essayais de l'oublier ?

— Oui.

Il sentit de la tension dans sa voix. Normalement, quand une collègue était stressée ou bouleversée, il était normal de la réconforter, en la prenant dans ses bras par exemple — bien qu'il ne l'ait pas fait à la mort de Josie. Cela ne signifiait pas que l'on allait s'engager pour la vie. D'autre part, il faisait froid dans ce tunnel humide.

Alors il attira Joni contre lui et l'entoura de ses bras. C'était la meilleure chose à faire. Partager sa chaleur corporelle, uniquement d'un point de vue pratique. Cela n'avait rien à voir avec les émotions, ni avec le fait qu'il était attiré par sa chaleur et sa douceur, au point d'avoir envie de choses qu'il n'avait jamais désirées auparavant. Il n'aurait su dire si cela l'effrayait ou l'excitait.

Elle appuya la tête sur son épaule et, spontanément, il lui caressa les cheveux — sa superbe chevelure soyeuse, qu'il revoyait encore retombant sur son visage quand elle l'avait chevauché…

Repenser à cela n'était pas une bonne idée. Pas plus qu'à tout ce qu'il avait ressenti avec elle. Parce qu'il ne devait pas se permettre de sentir des choses. N'avait-il donc pas appris à la mort de Ned qu'être trop proche des autres ne finissait qu'en solitude et en chagrin ?

— Ce devait être un sacré imbécile, pour te laisser tomber, dit-il.

Elle laissa échapper un petit rire désenchanté.

— Ce n'est pas lui qui m'a quittée, mais moi qui ai rompu.

— Oh… Je sais bien que nous travaillons ensemble depuis moins d'un mois, mais j'ai vu comment tu étais avec les gens. Tu n'es pas du genre à piétiner les sentiments des autres, ni à te montrer égoïste, dit-il. J'en ai déduit que ton ex avait mal agi avec toi.

Il n'aurait pas dû la questionner, d'autant que, de son côté, il ne tenait pas à parler de lui. Mais c'était comme si sa bouche ignorait ses intentions.

— Que s'est-il passé ? demanda-t-il.

— On lui a proposé un poste à l'autre bout du pays, je n'aurais presque plus vu ma famille, répondit-elle.

— Et tu aurais peut-être dû changer de spécialité, car tous les hôpitaux n'ont pas un service de médecine tropicale…

— Je pensais que l'on trouverait un arrangement, dit-elle. Mais Marty n'aimait pas les compromis. Il voulait que les choses se fassent à sa façon. De mon côté, je suis plutôt conciliante et j'accédais habituellement à ses désirs. Il me semble toujours mesquin de faire des histoires pour les petites choses.

— Et pour les grandes choses ? demanda-t-il doucement.

— J'avais accepté de le suivre, dit-elle, sans paraître l'avoir entendu. De quitter Londres et tout le monde.

Il attendit la suite.

— Et puis… il a dit que je devais me couper les cheveux. Que j'aurais l'air plus professionnel et que cela me donnerait de meilleures chances d'obtenir un bon job.

— En dehors du fait que tu as déjà un travail, comment couper tes cheveux te donnerait-il l'air plus professionnel ? demanda-t-il, fronçant les sourcils. De toute façon, tu les gardes toujours attachés pour travailler.

— Je pense à présent que c'était pour me tenir un peu

plus à sa merci, dit Joni. Je n'ai pas voulu le faire, car il aurait voulu ensuite que je change autre chose.

Elle poussa un soupir.

— Il faut dire que j'ai le chic pour choisir celui qu'il ne me faut pas. Je fais tout pour que ça marche, et pour finir c'est moi qui fais tous les compromis, et lui trouve que c'est normal. J'ai décidé que cela n'arriverait plus.

— Voilà qui est très raisonnable, répondit-il.

Et cela le confortait dans l'idée qu'il n'était pas celui qu'il lui fallait.

Elle avait besoin de quelqu'un qui s'implique au niveau des sentiments. Pas de quelqu'un comme lui.

— Je n'arrive pas à croire que ton ex t'ait demandé de te couper les cheveux. C'est à toi de décider de la façon dont tu veux te coiffer, il me semble.

— Exactement, renchérit-elle. Il y avait eu beaucoup de petits incidents du même genre, mais celui-là a été la goutte d'eau qui a fait déborder le vase. J'ai réfléchi à ce que j'espérais dans la vie, et je ne voulais pas de celle que je voyais se former devant moi. Je ne voulais pas épouser Marty et devenir de plus en plus malheureuse. Alors j'ai annulé le mariage.

— Cela demande beaucoup de courage, dit-il. Une fois que tout a été décidé pour le grand jour, j'imagine que ce doit être difficile de rappeler tout le monde pour dire que l'on s'est trompé.

— En effet, dit-elle. On avait réservé l'église et le lieu de la réception, commandé les fleurs et les voitures, choisi les menus… et payé tous les acomptes.

— Le plus important, c'est de prendre la bonne décision, pas l'argent.

— C'est ce que mes amis et ma famille m'ont dit. Tout le monde m'a approuvée. De plus, Marty ne s'entendait pas avec Bailey, si bien qu'à la fin, je ne pouvais plus la voir qu'à la cafétéria de l'hôpital. Et même là, je disais à Marty que j'avais déjeuné avec des amis, sans préciser qui pour éviter une dispute. Il ne voulait pas qu'elle soit ma demoiselle d'honneur, il m'avait proposé sa sœur à la place.

— On dirait que ton ex était un obsédé du contrôle, dit-il.

— Au début, non. Quand j'ai fait sa connaissance, il était charmant. Puis il a changé, peu à peu.

— Il a arrêté de cacher qui il était réellement.

— C'est aussi ce que dit Bailey.

Aaron n'avait échangé que quelques mots avec elle au club de salsa, mais plus il en apprenait sur elle, plus il la trouvait sympathique.

— Aller danser la salsa pour fêter ma délivrance était une idée de Bailey, dit Joni en riant. Elle est spécialisée dans la médecine du sport et croit beaucoup aux endorphines. A l'entendre, faire de l'exercice est bon pour tout et ne peut qu'améliorer les choses.

Il sourit à son tour.

— Elle n'a pas tort. Après une journée difficile, aller courir m'aide à me sentir mieux.

— Je ne cherchais pas à rencontrer quelqu'un ce soir-là, dit-elle. Mais je bois peu à cause de mon diabète, et je crois que les bulles de champagne me sont montées à la tête.

— Moi non plus, je ne cherchais pas quelqu'un, dit-il. Toi et moi… c'est juste arrivé.

— Et nous sommes tombés d'accord pour qu'il n'y ait pas de suite, fit-elle rapidement.

— Tout à fait.

D'où venait donc le sentiment de déception qu'il éprouvait ? Il aurait dû se sentir soulagé, voire heureux, puisqu'il n'était pas fait pour les relations durables. Garder Joni sur ses genoux, les bras serrés autour d'elle, était une très mauvaise idée.

Mais il ne pouvait pas faire machine arrière sans la blesser — il n'en avait d'ailleurs aucune envie. S'il était honnête avec lui-même, il appréciait beaucoup d'être ainsi contre elle. Il aimait la tenir dans ses bras.

— Je ne suis pas doué pour entretenir des relations,

dit-il. Je ne m'implique pas émotionnellement et je ne vais jamais au-delà de quelques rendez-vous.

— C'est peut-être parce que tu n'as pas trouvé la personne qui te convient.

— Tu crois vraiment à ça ? Qu'il y aurait quelque part une âme sœur pour chacun ?

— Oui.

Elle resta silencieuse un moment, réfléchissant visiblement.

— Oui, dit-elle de nouveau. Même si ce n'est pas nécessairement quelqu'un pour toute la vie. Regarde mon père, il était très jeune quand ma mère est morte. Il a également connu Marianna, et j'en suis heureuse.

— C'est ce que tu cherches aussi pour toi ? demanda-t-il. Une âme sœur ?

— Actuellement, je ne cherche personne, répondit-elle. Et je suis désolée de m'être servie de toi.

— Ne t'excuse pas.

Il resserra les bras autour d'elle.

— Ce qui s'est passé nous a fait du bien à tous les deux.

— Au départ, je voulais juste boire une ou deux coupes de champagne et m'éclater en dansant.

Mais il l'avait invitée à danser. Et la simple attirance physique qu'il avait ressentie sur une piste de danse bondée était devenue quelque chose de beaucoup plus complexe.

Tout comme maintenant. Elle était dans ses bras, assise sur ses genoux, son visage à seulement quelques centimètres du sien. Il lui aurait suffi de se tourner légèrement et de pencher à peine la tête pour que leurs lèvres se rencontrent.

Ce n'était certes pas la chose à faire. Elle voulait quelqu'un qui la rende heureuse, lui ne saurait que la faire souffrir autant que son ex.

Tout en réfléchissant, il se surprit à se rapprocher imperceptiblement d'elle et effleura sa bouche de ses lèvres, ce qui lui provoqua des fourmillements dans tout son corps.

Ce n'était pas encore assez. Il recommença et frémit de plus belle.

— Aaron, murmura-t-elle d'une voix qui l'invitait à aller plus loin.

La seconde suivante, il l'enlaçait passionnément. Les mains enfoncées dans ses cheveux, elle lui rendit son baiser avec ardeur.

Il eut un sursaut de bon sens. Il fallait que cela cesse. Il s'écarta doucement.

— Joni, je suis désolé, dit-il d'une voix éraillée. Je n'aurais pas dû.

Elle s'agita sur ses genoux, comme pour mettre un peu d'espace entre eux.

— Cela ne m'est jamais arrivé de ma vie, dit-il. Mais avec toi, je me sens prêt à faire n'importe quoi.

Elle s'immobilisa.

— Qu'essaies-tu de me dire, Aaron ?

— J'aimerais être différent. Il y a une grande part en moi qui aimerait te demander de voir où tout cela pourrait nous mener. Mais ce ne serait pas juste envers toi. Je ne sais pas faire parler mes émotions, et je ne veux pas te faire de mal, Joni. Je suppose que, de ton côté, tu as déjà assez souffert et que tu ne veux pas prendre de risques.

— Hé ! Je me suis ressaisie depuis, répondit-elle. Il n'est pas question que mon histoire avec Marty affecte le reste de ma vie. Lorsque je rencontrerai la bonne personne, j'apprendrai à faire de nouveau confiance.

Une part de lui aurait vraiment aimé être la bonne personne.

— *Shima sani* m'a toujours dit que je pouvais être ce que je *voulais* être, dit-elle.

Où voulait-elle en venir ?

— Tu viens de dire que tu aurais souhaité être différent. Ce qui veut dire que tu veux l'être. Et donc, tu *peux* l'être.

Sous-entendait-elle qu'ils pourraient voir où cette histoire les mènerait ? Qu'ils pourraient prendre ce risque, ensemble ?

Les épaules d'Aaron se détendirent légèrement. Autour d'eux, le tunnel ne lui sembla plus aussi sombre.

— Tu me plais, Aaron, dit Joni.

Elle lui plaisait aussi, mais il ne pouvait pas le lui dire. Comment aurait-il pu lui demander de prendre un risque avec quelqu'un qui était dans un tel désordre intérieur ?

— Tu es un bon médecin, dit-elle. Tu es gentil avec les patients, c'est agréable de travailler avec toi, et tu sais conseiller les collègues les plus jeunes, leur donner confiance dans leurs capacités.

— C'est la même chose pour toi, répondit-il, sincère.

Il lui toucha la joue une seconde.

— En plus, tu es sexy.

Il n'en crut pas ses oreilles.

— Je suis… quoi ?

— Tu as bien entendu.

— Seriez-vous en train de me faire des propositions, Joni Parker ?

— Vous êtes parfois un peu long à la détente, monsieur Hughes, répondit-elle d'une voix espiègle.

— Tu es donc bien en train de me faire des propositions.

— Je te signale qu'en ce moment même, je suis assise sur tes genoux avec tes bras autour de moi.

— Parce que nous sommes dans un endroit humide et froid. C'est le moyen le plus efficace de garder la chaleur.

— Alors comme ça, tu serais assis exactement de la même façon si tu étais coincé ici avec une autre personne du service ?

— Bien sûr, dit-il, ce qui était un mensonge éhonté.

— Même avec Mikey ou M. Flinders ?

Il pressa sa joue contre la sienne.

— Bon. Peut-être pas Mikey ni M. Flinders.

Elle rit.

— Comme je le disais, tu pourrais être une personne différente, si tu le voulais.

Le pourrait-il vraiment ? La tentation était très forte.

— Tu serais prête à prendre le risque de sortir avec moi

si je te le demandais ? Même si je n'ai pas fait mes preuves sur le plan relationnel ?

Elle embrassa le coin de sa bouche.

— Il n'y a qu'un moyen de le savoir, non ?

8.

Joni savait qu'elle prenait un gros risque. Si elle se trompait… eh bien, l'atmosphère serait gênante au travail pendant quelques semaines, puis les choses reprendraient leur cours. Et sinon…

Oh ! pourvu qu'elle ne se soit pas trompée.

— Etre la personne que je veux être, dit lentement Aaron, comme s'il réfléchissait à ce qu'elle venait de dire. Joni, je me dois d'être honnête avec toi. Je ne sais pas entretenir de relation, en dehors de celles que j'ai avec mes patients et mes collègues — uniquement sur le plan professionnel. Je ne sais même pas me faire des amis. Je m'entends bien avec les gens en général, mais je n'ai pas de réelle intimité avec eux. Et je suis incapable de laisser parler mes émotions.

Il poussa un long soupir.

— Tout ceci mis à part, dit-il, pourrais-tu envisager de dîner avec moi un soir ?

— Juste pour que les choses soient claires : serais-tu en train de me proposer un rendez-vous galant ? demanda-t-elle.

— Oui, répondit-il sans hésiter.

— Nous avons tous les deux souffert dans le passé, et commis des erreurs, dit-elle doucement. Je dois être aussi désastreuse que toi sur le plan relationnel. Mais oui, j'adorerais dîner avec toi un soir.

Il lui embrassa le coin de la bouche, et elle sentit une vague de chaleur l'envahir tout entière. D'un seul coup, il n'y eut plus que ses bras autour d'elle et la douceur de ses lèvres. Deux minutes plus tôt, ils s'étaient jetés l'un sur l'autre, mais à présent, leur baiser était devenu incroyablement doux et tendre. Cela lui ouvrait des horizons insoupçonnés sur ce qu'ils pouvaient faire ensemble.

— Nous irons tout doucement, dit-elle.

Elle sentit les coins de sa bouche s'étirer en un sourire.

— En tout cas, je ne regrette pas de t'avoir emmenée chez moi la première fois, dit-il d'une voix légèrement rauque. Excepté pour une chose.

Elle se figea. Commençait-il déjà à vouloir la changer, comme Marty ? Etait-elle sur le point de commettre une nouvelle erreur en le fréquentant ?

— C'est que je dors comme une bûche. Sinon, je t'aurais entendue te lever, j'aurais pu te faire un café et en profiter pour te persuader de rester pour le petit déjeuner.

— Oh.

Elle se détendit de nouveau.

— D'ailleurs, outre le dîner... j'aimerais bien que l'on prenne aussi le petit déjeuner ensemble.

— Ce n'est pas exactement ce que j'appelle prendre les choses doucement, répondit-elle.

— Non, je veux dire... on pourrait se retrouver pour prendre le petit déjeuner. J'aimerais passer une journée entière avec toi. Apprendre à mieux te connaître, découvrir ce qui te motive dans la vie...

Pour toute réponse, elle l'embrassa. Quand ils s'écartèrent l'un de l'autre, ils tremblaient tous les deux.

— Cela restera entre toi et moi, d'accord ? dit-elle. Au travail, nous sommes de simples collègues. Ce n'est pas parce que j'ai honte que cela se sache, mais pour éviter les complications.

— D'accord, répondit-il. Mais je me réserve le droit de te voler un baiser dans le couloir quand il n'y aura personne.

Elle rit.

— Aaron, avec toi je me sens de nouveau comme une adolescente, alors que j'ai trente ans.

— Pareil pour moi. Et j'en ai trente-trois.

— C'est bien jeune, pour un consultant, dit-elle en lui

caressant le visage. Ce qui veut dire que tu es quelqu'un d'intelligent. Et j'aime ton sens de l'humour.

— A propos de la sortie mensuelle du service… Je ne sais pas si tu t'es rendu compte du terrible moment que j'ai passé… à cause de ton jean.

— De mon jean ?

— Je mourais d'envie de me retrouver quelque part seul avec toi pour te le retirer très, très lentement. Si j'ai été un peu distant avec tout le monde ce soir-là, à présent tu sais pourquoi. J'essayais de contrôler à la fois mon imagination et ma libido.

Maintenant, c'était lui qui lui mettait des idées en tête. Et ils étaient censés redémarrer doucement ? Aaron Hugues faisait monter sa température en flèche.

Il l'embrassa de nouveau.

— Donc, pour l'instant, dit-il, cela reste entre nous tant que nous ne saurons pas où nous allons. Très bien. Maintenant, je crois qu'il est temps de changer de sujet et de parler de choses très sérieuses, cela pourrait être très embarrassant si l'on nous retrouvait dans les bras l'un de l'autre… Parlons boulot. Tu sais pourquoi j'ai choisi la médecine tropicale. Et toi ?

— Pour voyager en pensée avec mes patients, répondit-elle en riant. Mais aussi parce que j'aime la dimension de recherche, la possibilité d'éradiquer une maladie ou de trouver un vaccin qui prévient sa propagation. En fait, *shima sani* est un peu… devin. Lorsque ma mère a été enceinte de moi, elle a dit que je serais guérisseuse, que je soignerais les gens.

— Tu veux dire, comme un shaman ?

— Dans la langue de ma mère, on dit *hatalii*.

— Pourrais-tu encore être une *hatalii*, maintenant ?

— Non. Il faut commencer à apprendre très jeune parce que la transmission d'une génération à une autre est entièrement orale, il n'y a rien d'écrit. De plus, l'enseignement se fait exclusivement en langue navajo et je ne la possède pas suffisamment. C'est dommage. *Shi cheii*, mon grand-père, aurait pu tout m'apprendre. Lui est *hatalii*.

— Mais alors… ce qui est arrivé à ta mère a dû être doublement un drame pour eux.

— Oui. C'est pour cela que la dispute a été aussi violente, je suppose. Mon père et *shi cheii* devaient se sentir tous les deux coupables d'avoir échoué, chacun à leur manière.

— Et toi, en tant que médecin qualifié, tu es prise entre les deux ?

— Pas vraiment. *Shi cheii* est fier que j'aie suivi ses traces — même si c'est dans la culture de mon père plutôt que dans celle de ma mère. J'ai de grandes discussions avec lui sur la médecine et sur sa façon de soigner, comparée à la mienne. Nous avons appris beaucoup l'un de l'autre. Dans la culture diné, la médecine est holistique et essentiellement basée sur l'art de rétablir l'harmonie — *hozh* — chez le patient. Il ne s'agit pas seulement de traiter les symptômes, mais de rééquilibrer le corps et l'esprit. Le *hatalii* prend le temps de parler avec le patient, pour trouver ce qui ne va pas, ce qui l'inquiète.

— Il est bon que le patient puisse parler et se sente écouté. Cela réduit considérablement son inquiétude et son stress.

— Exactement. Quand on pense au nombre de maladies qui ont le stress pour origine… Apprendre aux gens à retrouver l'équilibre dans leur vie est très important.

— Il y a donc surtout un aspect psychologique ?

— Non, les herbes médicinales tiennent aussi une grande place. On apprend à préparer des sachets de médecine, surtout des plantes. Certaines sont transformées en teintures, d'autres sont brûlées.

— Je suppose que, quand on étudie leur composition, on trouve des similitudes avec les médicaments de la médecine occidentale ?

— En effet. M. Flinders m'a proposé de faire une recherche afin de trouver des équivalents aux antibiotiques susceptibles d'exister dans la médecine indienne.

— C'est très intéressant. Il y a de plus en plus de bactéries résistantes aux antibiotiques, nous avons besoin de solutions de rechange car ils ne seront plus efficaces très longtemps — encore quelques années, c'est tout. Ensuite, nous serons de nouveau au point de départ, avant la découverte de la pénicilline. Les gens mourront de nouveau d'une simple égratignure d'épine. Et alors… ?

Soudain, elle se retrouva en train de lui exposer son projet en détail.

— Tu peux compter sur mon appui, dit-il quand elle eut terminé. Et si je peux aider en quoi que ce soit, j'adorerais participer. C'est vraiment très intéressant.

— Merci. Je risque de te prendre au mot, un jour.

L'estomac d'Aaron se mit à gargouiller.

— Pardon. Le thé et les biscuits sont déjà loin, fit-il.

Il vérifia l'heure sur son portable. La lueur l'éclaira faiblement, lui donnant des airs de fantôme.

— C'est bientôt l'heure du déjeuner.

— A cause du diabète, j'ai toujours des barres de céréales dans ma poche, dit-elle, on peut partager.

— Non, merci. C'est pour toi. Ne t'inquiète pas, je ne risque pas d'avoir de problème avec mon taux de sucre. Veux-tu que l'on vérifie pour toi ?

Elle se testa à la lueur de la lampe qu'il tenait pour elle.

— Le taux est effectivement un peu bas, dit-elle.

Elle prit une barre de céréales et lui tendit l'autre, mais il refusa.

— Ces barres te permettront de tenir encore quelques heures. Je me sentirais terriblement mal si j'en mangeais une et que tu te retrouvais en hypoglycémie. Imagine que les secours tardent un peu, que l'on soit toujours bloqués dans le tunnel et que je ne puisse rien faire pour t'aider ! S'il te plaît, n'aie aucun scrupule.

Elle s'exécuta à regret. Heureusement, il accepta de boire quelques gorgées d'eau de la bouteille qu'elle avait aussi avec elle.

*
* *

— As-tu entendu ça ? demanda Aaron un peu plus tard. Quelqu'un a crié dehors.

— Tu crois qu'ils ont deviné où nous étions ?

— Je l'espère. A trois, on appelle, le plus fort possible.

Ils crièrent ensemble, et un autre cri leur répondit.

— On est ici, fit Aaron. Le plafond s'est effondré.

Les sons de l'extérieur étaient étouffés, mais ils devinèrent la réponse.

— Nous allons creuser jusqu'à vous et sécuriser le passage pour vous faire sortir.

Il fallut une heure aux sauveteurs pour parvenir jusqu'à eux, et ils revirent enfin la lumière du jour.

— Toi d'abord, dit-il à Joni. Et pas de discussion.

Pendant qu'il attendait dans le tunnel, sachant que l'entrée pouvait s'effondrer de nouveau et qu'il risquait de se retrouver piégé, seul dans le noir comme des années auparavant sous les décombres, la nervosité le gagna. Mais au moins, Joni était en sécurité. Bientôt, il put sortir à son tour.

— Nous étions très inquiets que vous ne reveniez pas, dit Nancy. D'autant que votre portable ne répondait pas, Joni. Nous avions peur que vous ne soyez blessés.

— Nous vous avons cherchés pendant une heure avant de vous localiser, dit l'animateur, visiblement soulagé.

Joni sortit la petite boîte de sa poche.

— A propos, nous avons bien trouvé le dernier indice, mais nous n'avons pas pu vous appeler.

— Vous êtes pardonnés pour cette fois, répondit-il, riant. Rentrons vite pour que vous puissiez vous réchauffer. Vous avez dû geler, là-dedans.

— Un peu, répondit Joni avec un léger sourire.

Etait-ce son imagination, ou avait-elle rougi imperceptiblement ? Aaron sourit à son tour. Car il y avait eu des moments où ni lui ni elle n'avaient pris garde à la température qu'il faisait…

De retour dans les locaux du centre, ils eurent droit à des boissons chaudes et purent se restaurer avant de passer aux derniers exercices.

A la fin de la journée, toute l'équipe fit le chemin de retour vers l'hôpital ensemble.

— Nous pourrons lever nos verres à votre santé à tous les deux lors de la prochaine soirée mensuelle, dit Nancy. D'ailleurs, Aaron, puis-je noter votre nom pour que vous organisiez la suivante ?

— Bien sûr, répondit-il en souriant.

Peut-être qu'ici, à Londres, ce serait différent. Peut-être serait-il lui aussi différent, et apprendrait-il à laisser parler ses émotions.

9.

Plus tard dans la soirée, Aaron appela Joni.

— Bonsoir.

— Bonsoir.

— Je, euh… Je voulais juste savoir comment tu allais…

— Très bien, répondit-elle. J'ai allumé toutes les lumières de mon appartement et vérifié partout qu'il n'y avait pas d'araignées.

— Parfait.

Bon sang. C'était pire que quand il était ado et demandait à une fille de sortir avec lui. Il était persuadé de ne pas avoir la moindre chance.

Il réussit à se ressaisir.

— Comme nous avons parlé de dîner ensemble… je voulais savoir quand tu serais libre.

— Que penses-tu de vendredi ?

— C'est bon pour moi. Je vais réserver quelque part.

Là, il se retrouvait sur un terrain familier.

— Y a-t-il des aliments que tu n'aimes pas, ou qui te donnent des allergies ?

— Je n'ai pas d'allergies et j'aime à peu près tout, excepté les abats et le chocolat, répondit-elle.

— Je t'enverrai un texto pour te confirmer la réservation.

— D'accord. Oh ! Aaron ?

— Oui ? demanda-t-il, vaguement inquiet.

— Je suis vraiment contente que tu m'aies appelée.

Curieusement, il sentit une vague de chaleur lui parcourir

le corps. Il n'avait pas l'habitude de ce genre de réaction, aussi agréable qu'inquiétante.

— Alors, à demain, fit-il avant de mettre fin à l'appel.

Il passa un long moment à surfer sur internet, cherchant un restaurant qui pourrait plaire à Joni. Rien d'ordinaire, parce qu'il voulait que cette soirée soit spéciale pour elle ; mais rien de guindé non plus, car ils devaient se sentir à l'aise.

Pour finir, il opta pour quelque chose d'un peu différent.

Il prenait un risque — surtout pour un premier rendez-vous officiel. Quand il appela pour réserver, tout était plein, mais deux places venaient juste de se libérer à la suite d'une annulation. Il le prit comme un signe de bon augure.

Puis il envoya un texto à Joni.

Réservé pour vendredi. On se retrouve à la station de métro à côté de chez toi, à 18 heures. Viens habillée, mais avec des chaussures confortables.

Joni lui répondit quelques minutes plus tard.

D'accord. Où allons-nous ?

C'est une surprise.

Après tout, elle n'avait pas besoin de savoir que c'en était une pour lui aussi.

Des chaussures confortables ? C'était incompatible avec une robe habillée, non ? Joni devait-elle prévoir deux paires : une plate pour marcher, et une à talons pour le restaurant ?

Pour le coup, elle appela Aaron pour tenter de lui tirer les vers du nez, mais il refusa de lui donner la moindre indication, se contentant de lui demander si elle préférait le vin rouge ou le vin blanc. Elle savait seulement qu'ils prendraient le métro.

Le vendredi soir, elle choisit sa petite robe noire — simple et élégante, à hauteur du genou. Des chaussures plates pour marcher, pour le restaurant les escarpins rouges qu'elle avait déjà mis au club de salsa, et le pendentif turquoise de sa mère pour seul bijou. Elle lâcha ses cheveux, se maquilla peu selon son habitude, et termina par une touche de son parfum favori.

A 18 heures tapantes, elle était à la station de métro près de chez elle.

Aaron l'attendait dehors, nonchalamment appuyé au mur. Les femmes qui passaient n'avaient d'yeux que pour lui. Rien d'étonnant. Avec son costume sombre, sa chemise blanche et sa cravate de soie rouge foncé, il était tout simplement irrésistible.

Et il était tout à elle.

Elle avait l'impression d'être une collégienne à son premier rencard avec le garçon le plus cool de l'école. Même si Aaron et elle étaient déjà allés bien au-delà du premier rendez-vous — avant même d'en avoir eu un, d'ailleurs.

A présent, ils étaient d'accord pour prendre les choses lentement, et apprendre à mieux se connaître en dehors du travail.

Ce premier rendez-vous la remplissait à la fois d'excitation et d'appréhension. Aaron ne lui avait pas caché ses difficultés à gérer ses émotions. Avait-elle raison de s'engager dans cette relation, après l'échec de ses fiançailles ? Ne risquait-elle pas de recommencer la même erreur ?

Pour conjurer ses doutes, elle s'avança vers lui en arborant son plus radieux sourire.

— Bonsoir, dit-elle en l'embrassant sur la joue. Oh ! désolée. Je t'ai mis du rouge à lèvres.

Elle sortit un mouchoir de son sac et lui frotta la joue.

Il lui sourit à son tour.

— Tu es magnifique. Et je suis ravi que tu aies lâché tes cheveux.

— Merci, dit-elle, se sentant rougir. Maintenant que je suis là, peux-tu me dire où nous allons, Monsieur le Mystérieux ?

— En fait, je n'en sais rien, répondit-il.

Elle écarquilla les yeux de surprise.

— Mais tu disais que tu avais réservé…

— C'est ce que j'ai fait, mais c'est un dîner surprise, dit-il. L'endroit change chaque semaine. On ne devrait pas tarder à m'envoyer un texto pour m'informer de l'endroit où nous allons.

A présent, elle comprenait mieux l'utilité des chaussures plates.

— Quelle merveilleuse idée, dit-elle.

Il parut soulagé.

— C'est un peu risqué — surtout pour un premier rendez-vous — mais il paraît que la cuisine est fantastique. La seule chose, c'est qu'il y a un menu unique et qu'on doit apporter son propre vin, ils n'ont pas de licence pour vendre de l'alcool.

— Voilà pourquoi tu m'as demandé quel vin je préférais.

Il lui montra le sac qu'il portait.

— J'espère que tu aimes le sauvignon blanc.

— Oui, répondit-elle en souriant. C'est très excitant. J'ai toujours voulu aller dans un restaurant pop-up.

Son portable sonna et il lut le texto.

— On descend du métro dans trois stations, là nous aurons d'autres instructions.

— Au moins, cette chasse au trésor-là ne se finira pas dans un tunnel, dit-elle en riant.

Ils prirent le métro comme demandé, et continuèrent à suivre les indications. Pour finir, ils descendirent un escalier étroit menant à une salle en sous-sol. Là, un serveur en habit noir et nœud papillon bordeaux leur tendit un verre de boisson pétillante et leur indiqua la direction de la pièce voisine.

— C'est une cave à vin, dit-elle, tandis qu'ils longeaient des rangées de bouteilles poussiéreuses.

Elle but une gorgée de son verre.

— C'est délicieux. Une vraie boisson d'été.

En entrant dans la pièce suivante, elle eut le souffle coupé.

De petites tables de bistro, recouvertes de nappes de

soie damassée blanche, étaient disposées dans la cave. La vaisselle étincelait, les couverts étaient en argent. Des bouquets de fleurs fraîches complétaient le tableau, éclairé uniquement à la bougie.

— C'est si romantique, murmura-t-elle. Merci, Aaron. Je n'ai jamais été dans un endroit aussi fabuleux.

Elle était déjà comblée, mais, après les avoir fait asseoir et avoir débouché leur bouteille de vin, le serveur les invita à écouter un groupe de quatre musiciens — tous en habit et nœud papillon blanc — qui venaient de prendre place dans un coin, jouant du violon, du violoncelle ou de l'alto.

Dès qu'ils eurent commencé, elle reconnut la mélodie.

— Oh ! j'adore ce morceau — le *Canon* de Pachelbel. Nous allons écouter de la bonne musique en accompagnement d'un bon dîner ? Aaron, c'est tout simplement parfait.

— Je suis heureux que cela te plaise.

Il avait l'air un peu tendu, elle leva donc son verre.

— A nous, dit-elle. Que cela finisse par une belle amitié, ou plus encore.

Pendant quelques secondes, il ne réagit pas, puis il esquissa un large sourire. A l'évidence, il était aussi nerveux qu'elle à propos de leur relation.

— A nous, répéta-t-il.

— J'ai l'impression que tu es non seulement connaisseur en café, mais aussi en gastronomie…

— Un peu, admit-il. Je suis plutôt à l'aise dans une cuisine, et j'aime faire de nouvelles expériences. Et toi ?

— La même chose.

Le repas se révéla tout à fait délicieux. Il y eut du risotto à la betterave, suivi d'un saumon sur un lit de lentilles du Puy accompagné de chou finement râpé.

— Il a été cuit dans du beurre, du citron et du piment, dit-elle après avoir goûté. C'est un mélange fabuleux.

— Je suis d'accord, dit-il.

Le dessert à base de framboises était à la hauteur du reste. Quant au café — accompagné de petits fours —, il combla les exigences d'Aaron.

— Merci, lui dit-elle avec un soupir de bien-être. C'est le meilleur dîner que j'aie fait depuis bien longtemps. Crois-tu que les organisateurs pourraient créer ce genre de soirée pour un groupe ?

— Pourquoi pas ? Tu penses à la soirée mensuelle que Nancy m'a demandé d'organiser ?

— Je suis sûre que cela plairait beaucoup à notre équipe. Et si les organisateurs trouvent un nouvel endroit à la hauteur de celui-ci, tu pourrais aussi bien battre mon record de « nuit la plus originale ».

— Serait-ce un défi ? demanda-t-il.

Elle haussa un sourcil.

— Peut-être.

— Si je le relève, quel est l'enjeu ?

— On pourrait commencer par un baiser, dit-elle.

— Et finir où ?

Rien que cette pensée lui coupait le souffle.

— C'est une surprise, dit-elle avec défi, et il éclata de rire.

Après le repas, ils discutèrent avec l'organisateur de la soirée, qui leur demanda combien de personnes ils comptaient être.

— Une quinzaine, répondit Joni.

— C'est faisable. Je vais consulter mon calendrier et vous proposer une date.

— Habituellement, nous faisons une activité avant de manger, dit-elle.

— Cette fois, vous pourriez inclure un divertissement dans la soirée, répondit l'organisateur. Un de mes clients dirige une école de cirque. On pourrait servir le dîner sous chapiteau, vos collègues et vous vous essaieriez à la corde raide et au jonglage avant le repas. Et mon client demanderait à sa troupe de faire un numéro entre le plat principal et le dessert.

Aaron et Joni échangèrent un regard.

— Ce serait absolument parfait, répondit-il.

*
* *

Une fois qu'ils se furent mis d'accord, Aaron appela un taxi. L'appartement de Joni était sur le chemin du sien, il la déposa donc en premier.

— Tu es le bienvenu pour une tasse de thé, dit-elle. Mais il n'est pas question que je te propose un café.

Il rit.

— Je ne suis pas exigeant à ce point, tout de même.

Il n'était pas prêt à ce que la soirée se termine et paya le taxi.

L'appartement de Joni était à son image : coloré et chaleureux. Les murs de la cuisine étaient d'un jaune lumineux, avec des placards et des plans de travail en érable. Il y avait une étagère couverte de livres de cuisine, des photos et des cartes postales étaient aimantées sur la porte du réfrigérateur.

Elle surprit son regard et sourit en versant l'eau bouillante dans deux mugs.

— Bailey, tu la connais déjà. Voici Olly sur scène avec son groupe, et ici, c'est Luke, à Rome. Il y va au moins une fois par an, sous prétexte que le toit du Panthéon serait l'assemblage architectural le plus parfait au monde. Là, c'est papa et maman.

Il nota la ressemblance entre Joni et son père, et entre ses frères.

— Et voilà *shi cheii* et *shima sani* — mes grands-parents.

Ils étaient tous les deux en jeans et chemises à carreaux, ce qui le surprit.

Elle lui jeta un coup d'œil de côté.

— Les Amérindiens ne portent pas tout le temps leur costume traditionnel, tu sais.

— Non, bien sûr. Désolé.

— Ici, c'est *shima* — ma mère, Ajei.

La photo montrait une jeune femme aux longs cheveux noirs, assise sur un rocher sous un ciel d'un bleu profond. Visiblement enceinte, elle avait l'air radieux. L'image même du bonheur, songea Aaron.

— Elle est très belle. Tu lui ressembles beaucoup.

Joni inclina la tête.

— Merci. Mais j'ai dix ans de plus qu'elle sur la photo.

Un voile de tristesse passa sur ses yeux. Ne sachant que faire d'autre, il la serra dans ses bras et elle s'appuya brièvement contre lui.

— Viens t'asseoir.

Son séjour était également jaune. Elle avait un canapé couleur mandarine et des coussins rouge foncé. Il admira le tapis du milieu de la pièce, qui rappelait le rouge des coussins, avec des motifs géométriques.

— Il a été tissé par une de mes cousines, dit-elle. Je l'ai rapporté d'Arizona il y a deux ans.

— Ta cousine est très douée.

Elle sourit avec fierté.

— Je le lui dirai la prochaine fois.

De nombreuses photos de famille recouvraient le manteau de la cheminée, autour du diplôme de Joni et de ceux de ses frères. La photo du mariage de leurs parents avec Joni en demoiselle d'honneur était également en bonne place.

Cette famille respirait l'amour, tous semblaient proches les uns des autres. Comment Aaron pourrait-il jamais lui suffire ?

Il ignora l'inquiétude qui montait en lui. Pas maintenant. Il verrait cela plus tard.

— A propos, j'aime beaucoup ton pendentif, dit-il.

— C'est ma mère qui l'a fait.

— Il est très beau — comme toi, Nizhoni.

Elle rougit aussitôt.

— As-tu beaucoup de bijoux de ta mère ?

— J'ai un collier, deux bracelets et une bague, répondit-elle. J'ai donné le reste à *shima sani*, j'estimais normal qu'elle ait un souvenir du travail de sa fille.

— C'est très gentil à toi…

— Pas vraiment, dit-elle en haussant les épaules. C'est ma grand-mère et je l'aime.

C'était tellement simple. Il pensa à ses propres grands-parents, très éloignés géographiquement des deux côtés. Il avait parfois passé des vacances chez eux, avec l'impression d'être autant une gêne pour eux que pour ses parents. Quel effet cela pouvait-il faire d'avoir des rapports aussi faciles avec ses proches, malgré la distance ? Sa famille à lui semblait faire partie d'un autre système solaire.

— A quoi penses-tu ? demanda Joni à mi-voix.

Pas question de lui parler de sa famille.

— Au tunnel, répondit-il. Ce que j'ai préféré dans cette journée, c'était te tenir dans mes bras. Si je me souviens bien, j'ai droit à un baiser. Puis-je ?

Elle lui caressa le visage.

— Tu es si mignon, de me demander la permission...

Il fallait qu'il l'embrasse, ou il allait imploser. Il posa son mug de thé et la prit sur ses genoux. Instantanément, il se sentit beaucoup mieux.

— J'ai vraiment passé une excellente soirée, dit-elle. Merci de l'avoir organisée pour moi.

— C'était tout de même risqué...

— Même si le repas ou l'endroit avait été horrible, tu te serais donné du mal pour en faire quelque chose de spécial, et c'est cela qui importe.

Il l'embrassa longuement et tendrement. Il adorait l'embrasser, même si une petite voix dans sa tête l'avertissait de ne pas baisser sa garde. Il aimait trop le contact de sa peau contre la sienne, le goût de ses lèvres, le doux parfum floral qu'elle portait. Il aimait même entendre battre son sang dans ses propres veines.

Quand ils s'écartèrent enfin l'un de l'autre, ses yeux lui parurent immenses. Ses lèvres gonflées étaient entrouvertes et elle avait la tête légèrement penchée, comme si elle s'offrait à lui. Cela lui donna envie de recommencer, encore et encore, jusqu'à ce qu'elle s'abandonne totalement au contact de ses mains et de sa bouche.

Aaron n'avait jamais éprouvé une telle tentation auparavant et cela l'effrayait tout en lui donnant envie de recommencer.

— Voilà ce qu'on appelle un baiser, dit Joni en riant.

Dieu, qu'elle était belle ! Il n'avait jamais désiré une femme autant qu'elle.

— Aimes-tu d'autres styles de musique que le classique ? lui demanda-t-elle.

— J'aime toutes sortes de musiques — excepté peut-être les boys bands.

Elle sourit.

— C'est parce que tu n'es pas une ado. Mon frère joue mercredi soir. Plusieurs collègues du service seront là, ainsi que ma famille et Bailey. Est-ce que cela te dirait de venir ?

Ce n'était pas une présentation officielle à la famille, se dit-il. Pourquoi pas ?

— J'aimerais beaucoup. Ce n'est pas un boys band, au moins ?

— Pas du tout, répondit-elle en riant. Leur musique est un croisement entre le rock et le blues. Ils reprennent des standards, mais Olly écrit aussi beaucoup de leurs compositions.

— Rock et blues ? C'est la musique que je préfère !

Il nomma plusieurs groupes qu'il aimait.

— Je les ai vus plusieurs fois en concert à Manchester.

— Olly les adore. Vous allez bien vous entendre, tous les deux.

Bien qu'elle n'en ait rien dit, il devina que Marty n'avait pas été très proche de sa famille. Celle-ci avait l'air de compter beaucoup pour Joni et cela risquait de devenir un sujet de discorde, ce qui le rendit nerveux.

Il finit sa tasse de thé et l'embrassa langoureusement.

— Je ferais mieux d'aller dormir un peu, dit-il. Merci pour cette soirée.

— Non, merci à toi. C'était fantastique. Oh ! tu fais quelque chose demain ?

— Pas particulièrement.

— Appelle-moi si cela te tente de faire une balade quelque part. On pourrait aller se promener au jardin botanique de Chelsea, par exemple.

— Bonne idée. Je t'appelle demain.

Il l'embrassa de nouveau.

— Bonne nuit, ma belle Nizhoni.

Le lendemain matin, il faisait un temps épouvantable. Aaron appela quand même Joni.

— Et si on allait visiter un musée ou une galerie d'art à la place ? proposa-t-elle.

— Je ne connais pas très bien Londres. Surprends-moi.

Une demi-heure plus tard, il la retrouva chez elle. La veille, elle était sur son trente et un. Aujourd'hui, son visage était exempt de tout maquillage et elle portait un jean et un T-shirt avec des chaussures de toile. Mais elle était toujours aussi belle, et rien qu'en la regardant, son cœur se mit à battre plus fort.

Elle l'embrassa pour lui dire bonjour.

— Tu as attaché tes cheveux…

— Je peux les défaire, si tu veux.

— C'est à toi de décider, dit-il, se rappelant son ex. Mais tes cheveux sont si beaux, c'est dommage de les cacher dans une queue-de-cheval.

— Merci, répondit-elle en rougissant.

D'un geste, elle défit la barrette qui retenait sa chevelure.

— Où allons-nous ? demanda-t-il.

— Tu m'as demandé de te surprendre. Comment puis-je y arriver si je te dis où nous allons ?

Il éclata de rire.

— Je crois surtout que tu es en train de me rendre la monnaie de ma pièce pour hier soir.

— Quelle idée ! Mais tu as placé la barre très haut, il va me falloir un peu de temps pour trouver quelque chose d'équivalent, tout en étant très différent.

— Et si on faisait une liste ensemble ?

Le sourire qu'elle lui décocha le réchauffa de l'intérieur.

— C'est une excellente idée. Nous allons faire une liste de toutes les choses bizarres que nous avons envie de faire.

Pour aujourd'hui, nous allons dans un endroit très connu, mais qui vaut bien une visite.

Après tout, peu lui importait, du moment qu'il passait du temps avec elle.

Ils se rendirent à pied à la station de métro, serrés l'un contre l'autre sous un parapluie, et ce fut une bonne excuse pour l'enlacer.

Avant de connaître Joni, Aaron ne s'était jamais considéré comme quelqu'un de très tactile. Mais il aimait être contre elle, sentir son parfum et sa chaleur tout contre sa peau. Elle mettait tous ses sens en alerte, et il commençait vraiment à aimer cette impression.

Ils sortirent du métro à Charing Cross et se rendirent à l'église de St Martin in the Fields. Une affiche annonçait un concert l'après-midi même.

— J'adore Bach, dit-elle.

Elle lui jeta un coup d'œil coupable, comme si elle lui en demandait trop.

— Tu aurais le temps d'assister au concert, en plus de l'endroit où nous nous rendons maintenant ?

Etait-ce ainsi que cela se passait avec son ex ? Il fallait à tout prix la rassurer.

— Non seulement j'ai le temps, mais je pense que c'est une très bonne idée, répondit-il. Prenons les tickets maintenant, cela nous épargnera de faire la queue plus tard.

Puis elle l'entraîna à l'angle de Trafalgar Square et il reconnut aussitôt le musée.

— La National Gallery ?

— C'est une agréable façon de passer un samedi matin pluvieux, non ? Commençons par les tableaux de Van Gogh, j'adore l'éclat et la lumière qu'il y a dans ses peintures.

Aaron goûta particulièrement leur flânerie, main dans la main, d'un tableau à l'autre. Après avoir avalé un sandwich, ils s'aperçurent que la pluie avait cessé.

— Allons admirer les lions de la colonne Nelson, comme tout bon touriste qui se respecte, dit-elle.

Elle sortit même son téléphone portable et le tendit à

bout de bras pour prendre un selfie de leur couple enlacé, joue contre joue. Pour le coup, il se sentit aussi jeune que les ados qui les entouraient en faisant exactement la même chose. C'était étrange car, plus jeune, il avait toujours été du genre sérieux, concentrant son énergie dans les études plutôt que les sorties.

L'après-midi, ils se tinrent la main pendant tout le concert. Tout était parfait : la musique, le cadre et la compagnie.

Une fois dans le métro, ce fut à son tour de douter. Allait-il en demander trop ?

— Je sais que je deviens gourmand, mais je ne suis pas encore prêt à mettre un terme à cette journée. Aurais-tu le temps de dîner avec moi ?

— J'en serais ravie.

Alors seulement, il remarqua que, quand elle souriait, elle avait de petites fossettes. Elles lui donnaient envie de la soulever dans ses bras et de tourner en rond avec elle jusqu'à les étourdir tous les deux. Il ne s'était jamais senti aussi insouciant.

Qu'était-il donc advenu de sa maîtrise de lui-même ?

— Je connais un charmant petit restaurant italien au coin de la rue, fit-elle.

Ils passèrent la soirée à discuter, entre deux bouchées, de films et de livres qu'ils aimaient, et découvrirent ainsi qu'ils avaient le même goût pour les films d'art et d'essai. Aaron se surprit également à parler davantage de lui qu'il ne le faisait habituellement, ce qui aurait dû l'inquiéter. Pourtant, avec Joni, il parvenait à se détendre.

Il lui dit au revoir sur le pas de sa porte et l'embrassa.

— Tu ne veux pas venir prendre un dernier verre ? demanda-t-elle.

Il voulait bien plus que cela : la porter dans son lit, lui retirer ses vêtements un par un — très lentement ; découvrir où et comment elle aimait être touchée, par ses mains et par sa bouche, et continuer à le faire jusqu'à ce qu'elle crie son nom.

— Il ne vaut mieux pas, dit-il très vite. Non pas parce

que je ne veux pas, mais je ne tiens pas à précipiter les choses. Mais j'ai passé une merveilleuse journée avec toi.

Son sourire fut sa récompense.

— Moi aussi, dit-elle en lui caressant le visage. On se revoit lundi, au travail. Et merci pour cette journée.

Sur le chemin du retour, il se surprit à sourire. Et il comprit pourquoi : il était *heureux*. Il ne se rappelait pas avoir jamais éprouvé cette sensation de légèreté dans le cœur.

Joni avait bel et bien changé sa vie, pour le meilleur. Pourtant, une part de lui se demandait si cela pouvait vraiment durer. Ou bien était-ce trop demander ?

10.

Le lundi matin, Aaron et Joni se retrouvèrent aux consultations externes.

Dans la cuisine du personnel, ils échangèrent un regard si intense que Joni se sentit submergée par une vague de chaleur. Mais ce n'était ni le moment ni le lieu pour l'embrasser comme elle l'aurait voulu, malgré ses yeux emplis de désir.

Il était encore tôt et, pour le reste du personnel, ils n'étaient que collègues.

Elle lui adressa un sourire professionnel.

— Avez-vous passé un bon week-end, monsieur Hughes ?

— Excellent. Et vous ?

— L'un des meilleurs depuis longtemps, dit-elle. Un peu de culture, des amis et ma famille. Il n'y a rien de mieux.

La chaleur dans le regard d'Aaron lui indiqua qu'il savait exactement de quoi elle parlait…

Le premier cas de la matinée, pour Joni, fut un homme qui avait été très désagréable avec la réceptionniste, au point d'avoir presque atteint le seuil de tolérance zéro fixé par le règlement de l'hôpital. Mais la maladie pouvait entraîner des réactions inhabituelles chez les gens et Joni décida de lui accorder le bénéfice du doute.

M. Gillespie se plaignit d'abord de ne pas avoir été bien accueilli, alors qu'il avait mal à la tête, de la température et maintenant une éruption cutanée. Pour faire bonne mesure, il avait mal au dos et dans les jambes, ses yeux étaient rouges et le démangeaient.

— J'en ai assez de tous ces gens qui ne m'écoutent pas, grogna-t-il. Je sais très bien que je n'ai pas une simple grippe.

Elle réussit à le calmer en promettant de l'écouter attentivement.

Après avoir examiné les rougeurs sur son torse, elle lui demanda s'il était parti récemment à l'étranger.

— J'ai passé quinze jours de vacances en France, dit-il. Le premier jour, j'ai fait du kayak et, en chavirant, j'ai avalé beaucoup d'eau. J'ai commencé à me sentir mal quelques jours plus tard, avec vomissements et dérangements intestinaux. Je suis sûr qu'il y avait quelque chose dans l'eau.

— Vous avez probablement raison, répondit-elle. Si j'en crois vos symptômes, il est très possible que vous ayez la leptospirose. Mais il est vrai qu'au stade initial, on peut la confondre avec une simple grippe. La leptospirose est une bactérie qui peut survivre plusieurs mois dans l'eau des canaux ou des rivières, ou en terrain humide. Détail désagréable : elle se transmet habituellement par l'urine infectée des rats, mais vous-même n'êtes pas contagieux.

Elle procéda à des examens de sang et établit une ordonnance pour des médicaments à prendre en pharmacie.

— Vous allez encore vous sentir mal pendant deux ou trois jours, mais d'ici une semaine, vous irez beaucoup mieux, dit-elle.

Elle avertit néanmoins son patient que s'il n'allait pas mieux et qu'au contraire, de nouveaux symptômes apparaissaient, il ne devait pas hésiter à appeler directement son service.

M. Gillespie repartit en promettant de ne plus jamais, jamais naviguer sur des rivières…

Joni fut très occupée pendant le reste de la matinée, mais elle réussit à avaler un sandwich à la hâte avec Aaron pendant la pause déjeuner.

— Comment s'est passée ta matinée ? lui demanda-t-elle.

— Il y a eu beaucoup de problèmes de gastros, ce que je n'ai peut-être pas besoin de détailler maintenant. Et toi ?

— J'ai eu un cas de leptospirose.

— Voilà qui est plutôt rare.

Comme c'était agréable de pouvoir s'asseoir avec lui en discutant librement de son travail ! Marty prenait toujours l'air ennuyé quand elle abordait le sujet, alors qu'il ne se gênait pas pour parler de son métier. Aaron, lui, savait écouter.

Décidément, la vie avait du bon.

Le soir, comme d'habitude, Joni retrouva Bailey pour leur cours de yoga, suivi d'un dîner.

— Tu es rayonnante, dit Bailey quand elles se retrouvèrent au restaurant. Cela n'aurait-il pas quelque chose à voir avec un certain docteur en médecine tropicale qui porte des lunettes ?

Joni rougit.

— Alors, vous sortez ensemble ? A la bonne heure ! s'exclama Bailey. C'est tout à fait ce qu'il te fallait après ce satané Marty.

— Nous avançons prudemment, dit Joni. Il vient au concert d'Olly mercredi, mais seulement en tant que membre de l'équipe. Nous gardons cela pour nous pour l'instant. Alors, pas un mot à maman et papa, d'accord ?

— Naturellement.

Bailey lui tapota la main.

— Cela fait plaisir de te voir heureuse.

— Je le suis, répondit Joni en souriant. Prenons le temps de voir venir.

Le mercredi soir, le groupe du service de médecine tropicale alla directement dîner après le travail, puis se rendit au pub où jouait le frère de Joni.

Sa famille était déjà là et l'accueillit avec effusion. Joni fit aussitôt les présentations.

— Voici Aaron, notre nouveau consultant, dit-elle.

Ainsi, elle le présentait à sa famille en tant que collègue.

Aaron le savait bien, ils en avaient discuté entre eux avant, mais il fut un peu vexé, au point qu'il dut faire un effort pour suivre ce qu'elle disait ensuite.

— Aaron, voici mes parents, Sam et Marianna Parker, et mes frères Luke et Olly.

Tout le monde l'accueillit chaleureusement, et il échangea quelques mots avec Olly au sujet de sa musique. Naturellement, il ne put échapper aux questions concernant sa famille et l'endroit d'où il venait.

— Ma famille est éparpillée un peu sur tout le globe, dit-il. Tout le monde est dans les forces armées, sauf moi.

Il avait été le seul, sur quatre générations, à choisir un autre mode de vie, et cela n'avait pas beaucoup plu.

— La médecine tropicale est si intéressante, dit Marianna. Joni vous a-t-elle parlé de son projet de recherche ?

— Oui, c'est passionnant, répondit Aaron.

Marianna et Sam avaient l'air ravi de le connaître, et Luke lui parla de football et d'architecture.

Aaron comprenait maintenant pourquoi Joni était aussi chaleureuse. Sa famille était exactement comme elle : gentille, attentionnée, faisant en sorte que tout le monde se sente accepté.

Bailey arriva juste après le passage du groupe précédent et embrassa Joni en s'excusant de son retard.

— J'ai dû bander un genou, dit-elle. Heureusement, mon patient n'aura pas le cartilage endommagé.

Joni fit les présentations et Aaron serra la main de Bailey en souriant.

— Vous êtes la spécialiste de la médecine du sport fana d'endorphines ?

Elle lui rendit son sourire, le reconnaissant manifestement. Quelque chose lui disait qu'elle savait parfaitement ce qui se passait entre Joni et lui.

Il apprécia le concert, en particulier un morceau de blues qui lui donna envie de prendre Joni dans ses bras et de la serrer tout contre lui. Mais il ne pouvait pas le faire pour ne pas la mettre dans l'embarras.

Il fut tout de même déçu de ne pas pouvoir la raccompagner chez elle, ni l'embrasser pour lui souhaiter bonne nuit.

Le lendemain, sous le prétexte de lui parler d'un cas particulier, il prit un café avec elle entre deux consultations.

— J'ai vraiment apprécié le concert hier soir, lui dit-il. Ton frère a beaucoup de talent.

— C'est vrai, dit-elle en souriant.

— J'ai remarqué que tu m'avais présenté à ta famille en tant que collègue...

Elle écarta les mains en un geste d'impuissance.

— Aaron, la moitié du service était là, et tu étais d'accord pour que l'on garde ça pour nous. Si j'en avais parlé à papa et maman, quelqu'un nous aurait entendus et, en ce moment même, nous serions au cœur de tous les ragots de l'hôpital.

— Tu as raison, dit-il.

— Qui plus est, si j'avais dit à ma famille qui tu étais vraiment, elle t'aurait fait passer sur le gril. Je ne suis pas sûre que tu sois prêt pour ça.

— Probablement pas. Excuse-moi, je n'aurais pas dû t'en parler.

— En fait, je suis contente que tu aies fait la remarque. Cela m'a gênée, moi aussi.

— Bailey est au courant pour nous, n'est-ce pas?

Joni plissa le nez.

— C'est ma meilleure amie. Elle est aussi proche qu'une sœur. Je sais qu'elle n'en parlera à personne.

— Tant mieux. Que veux-tu faire ce week-end?

— J'ai pensé que cela pourrait être drôle d'aller voir les pélicans de St James Park, samedi après-midi. Papa m'y emmenait quand j'étais petite et j'adorais ça.

— Cela me va tout à fait. Fais-moi savoir où et quand tu veux que nous nous retrouvions, dit-il en terminant son café à la hâte. Il faut que je me dépêche, à plus tard.

Pendant tout le trajet de retour, il pensa aux liens qui unissaient la famille de Joni. Peut-être que, s'il faisait des efforts, sa propre famille pourrait lui ressembler. Mais cela n'avait jamais été leur style. Il attendait trop d'eux, et ce n'était pas juste.

En y réfléchissant, il ne pouvait pas donner à Joni le quart de ce qu'elle avait à lui offrir. Sa propre famille serait distante avec elle, et cela lui ferait de la peine, il le savait. Comment pourrait-il lui faire comprendre leur attitude guindée, alors qu'elle avait toujours été environnée de chaleur ? Il serait sans doute plus raisonnable de reprendre un peu ses distances.

Le seul problème, c'était qu'il n'en avait aucune envie.

Mais peut-être devait-il cesser d'être égoïste et faire passer l'intérêt de Joni avant le sien.

Le vendredi matin, Joni rencontra encore un cas très rare. M. Kirby vint consulter avec son épouse, très inquiète, qui pensait qu'il avait été mordu par une chauve-souris. Quelques jours auparavant, il avait restauré les peintures de la tour d'une église habitée par toute une colonie. Mais son mari ne se souvenait pas d'avoir senti une morsure.

Il présentait les symptômes d'une grippe estivale : frissons, maux de tête, gorge douloureuse, température élevée. Mme Kirby trouvait que son mari était également devenu irritable, et elle avait lu sur internet que c'était un des symptômes de la rage.

Joni fronça les sourcils. Si son patient était venu consulter le jour où il avait été mordu, même s'il n'avait pas eu de vaccination antirabique, il aurait été possible de venir à bout du virus. Mais lorsque les symptômes s'étaient déjà déclarés, la rage était souvent fatale et le seul traitement possible consistait à sédater le patient jusqu'à ce qu'il tombe dans le coma et meure d'une crise cardiaque.

Au Royaume-Uni, la rage classique transmise par les chiens, les chats ou d'autres animaux était pratiquement inconnue. Tous les gardiens de zoo avaient été vaccinés contre la rage en cas de morsures d'animaux exotiques. Dans un ou deux cas, des malades avaient été infectés, mais ils s'étaient présentés immédiatement et la procédure habituelle — nettoyage complet de la blessure et injection pour empêcher l'infection de se répandre — avait fonctionné.

Après avoir effectué des tests sanguins et prélevé des échantillons de salive, Joni partit à la recherche d'Aaron et lui expliqua son cas.

— Si les résultats montrent que mon patient a déjà développé des anticorps et les premiers symptômes, il n'y a rien que l'on puisse faire, n'est-ce pas ?

Il secoua la tête, songeur.

— Il y a peut-être quelque chose… Mon patron m'en avait parlé à Manchester, mais c'est encore au stade expérimental et le taux de succès est assez faible.

— C'est toujours mieux que rien, dit-elle. Mais j'attends le résultat des tests avant de paniquer.

— N'hésite pas à venir me chercher si tu as besoin de moi.

Plus tard dans l'après-midi, Aaron entrait des notes dans son ordinateur quand Joni fit irruption dans son bureau.

— J'ai les résultats. C'est bien la rage de chauve-souris.

— Bon. Il faut parler à ton patient.

Joni le présenta aux Kirby et il leur dressa un tableau réaliste de la situation.

— Alors, je vais mourir ? dit M. Kirby, choqué. Oh ! mon Dieu. Je vais me mettre à courir partout, à baver, à avoir peur de l'eau et à mordre les gens ?

— Il n'y a pas de peur de l'eau et vous ne mordrez pas. Mais vous produirez de plus en plus de salive et vous aurez de plus en plus de mal à avaler.

Il secoua la tête.

— Je ne peux pas supporter ça.

— Il existe une alternative, dit Aaron. Mais il n'y a aucune garantie de succès.

— Au moins cela me donne une chance de survivre, alors je la prends. Que dois-je faire ?

— Nous pensons que le virus de la rage affecte le

cerveau avant que le corps puisse combattre l'infection. Si nous provoquons un coma artificiel pour protéger votre cerveau, nous pouvons vous donner une médication anti-virale pour aider votre corps à combattre la maladie. On vous met sous perfusions afin que votre corps continue de fonctionner, et vous ne vous rendez compte de rien. Il y a peu de chances que cela marche, et même si c'est le cas, des dommages peuvent être causés par le virus et une rééducation sera nécessaire.

M. Kirby échangea un long regard avec sa femme, puis il prit une profonde inspiration.

— D'accord. Je vais le faire. Mais je veux d'abord voir mes enfants pour leur dire au revoir, au cas où ça ne marcherait pas.

Dire au revoir aux enfants.

Aaron n'avait pas pu dire adieu à Ned, car son frère avait sombré dans le coma à cause de la malaria. Même si les médecins pensaient les patients inconscients capables d'entendre, il ne saurait jamais si Ned avait compris ses dernières paroles. Il lui avait dit qu'il l'aimait, qu'il allait devenir médecin comme lui aurait voulu l'être, qu'il pourrait être fier de lui. Et qu'il ferait tout son possible pour sauver les gens, ce que les médecins n'avaient pas pu faire pour lui.

Il avait tenu sa promesse. Il avait travaillé dur, et sauvé la plupart de ses patients. Il n'y arriverait peut-être pas pour M. Kirby, mais il ferait tout ce qui était en son pouvoir.

A ses côtés, se tenait la seule personne en qui — il commençait à s'en rendre compte — il pouvait avoir confiance : Joni. Elle travaillerait avec lui, et l'aiderait à traverser les épreuves grâce à la douceur de son sourire.

Sous la table, il tendit la main vers elle et lui serra les doigts. Elle réagit aussitôt, comme si elle devinait ce qu'il pensait.

Ils feraient de leur mieux. Ensemble.

Le samedi après-midi, Joni et Aaron flânèrent main dans la main à travers St James Park et arrivèrent devant le rocher au milieu du lac, où les pélicans étendaient leurs ailes et se chauffaient au soleil. A la seconde où le gardien apparut avec son seau de poissons, ils se précipitèrent sur lui et l'entourèrent, impatients de manger — en même temps que les enfants du parc accouraient pour les voir.

— Les pélicans sont dans le parc depuis 1664, expliqua le gardien. Le tout premier fut un cadeau de l'ambassadeur de Russie. Ils se nourrissent des poissons du lac, mais ils aiment aussi le maquereau et le hareng que je leur apporte.

Il jeta un poisson à chaque oiseau, qui l'attrapa adroitement.

— Nous avons même eu un pélican qui volait jusqu'au zoo de Londres pour y dérober son poisson du déjeuner, dit-il.

Joni apprécia le spectacle, mais remarqua qu'Aaron restait silencieux. Après tout, les pélicans ne l'intéressaient peut-être pas.

Cependant, plus l'après-midi avançait, plus il s'enfermait dans son mutisme. Il fallait qu'elle aborde le sujet, elle détestait le sentiment de gêne qui s'était installé entre eux.

— Quelque chose ne va pas, Aaron ?

— Non.

Son expression était totalement indéchiffrable. Il était évident que quelque chose n'allait pas, mais quoi ? Peut-être voyait-il en elle la même chose que Marty ? Leur relation aussi allait tourner à l'échec — et ce serait sa faute, parce qu'elle n'aurait pas été à la hauteur.

— Je suis désolée, dit-elle d'un ton misérable.

Il fronça les sourcils.

— Pourquoi donc ?

— A l'évidence, j'ai dit ou fait quelque chose qu'il ne fallait pas.

Elle écarta les bras en un geste d'impuissance.

— Ou alors, je n'ai pas dit ou fait ce qu'il fallait.

— Bien sûr que non... Joni, pourquoi t'excuses-tu ?

— Je...

— Est-ce que cela se passait comme ça avec Marty ?

Oui. Souvent. Mais elle ne fut pas capable de lui répondre, ayant trop honte pour admettre la vérité. Elle se contenta de détourner les yeux.

Avec douceur, il prit son visage entre ses mains.

— Regarde-moi, Joni.

Elle s'exécuta à contrecœur.

— Tu n'as rien fait de mal. *Rien*. Des idées stupides me trottent simplement dans la tête, mais je t'assure que ça n'a rien à voir avec toi.

Il poussa un soupir.

— Je t'avais prévenue que je n'étais pas très doué pour les relations. Mais promets-moi de ne plus jamais t'excuser devant moi.

— Je suis dé... Hum.

Elle s'arrêta net.

— Celle-là compte, il faut mettre une pièce dans la boîte, dit-il en souriant. Je suis sûr que Bailey serait d'accord avec moi.

Elle sentit que la tension entre ses épaules s'apaisait.

— A la place, tu pourrais m'offrir une glace, ou bien j'ai une meilleure idée. Tu vas devoir dîner avec moi ce soir, et c'est moi qui fais la cuisine. Si tu n'es pas déjà prise, bien entendu.

Non, elle n'était pas prise.

— Est-ce que j'aurai droit à une tasse de ton fabuleux café ?

— Seulement si tu es sage.

Une vague de soulagement la submergea. Tout allait s'arranger.

— Comme ça ?

Se mettant sur la pointe des pieds, elle l'embrassa légèrement sur les lèvres.

Il l'entoura de ses bras.

— Cela ira très bien.

Une fois chez lui, elle remarqua toutes sortes de choses auxquelles elle n'avait pas fait attention la première nuit.

Elle n'avait pas encore vu son séjour : tout était très net.

Il n'y avait qu'une seule étagère de livres de médecine, et elle ne vit pas de films ni de disques, et aucun roman.

— Je croyais que tu aimais la musique, dit-elle.

— Beaucoup, mais tout est digital, de même que pour les films. Je télécharge tout, cela fait de la place. Pareil pour les livres, excepté ces textes de médecine. Curieusement, je préfère l'ancienne méthode quand il s'agit de travail.

Il n'y avait aucune photo de famille, et rien de personnel qui puisse dévoiler quoi que ce fût sur lui. Peut-être que, habitué à déménager souvent avec ses parents et à loger en pension, il avait pris l'habitude de vivre avec le minimum. Mais elle ne voulut pas lui poser la question pour ne pas le mettre mal à l'aise.

Elle le suivit dans la cuisine, et il plongea dans son réfrigérateur.

— Est-ce que je peux t'aider ? demanda-t-elle.

— Non, mais tu peux t'asseoir et bavarder avec moi.

Il lui prépara un cappuccino mousseux, juste comme elle l'aimait.

— C'est excellent, dit-elle. Je suis vraiment gâtée.

— J'espère que mon risotto au poulet et aux épinards sera un peu meilleur qu'un sandwich au bacon ordinaire.

Marty n'avait jamais cuisiné pour elle. Il trouvait normal qu'elle soit aux fourneaux, et elle n'avait jamais réagi, au lieu de lui faire remarquer que son travail était aussi exigeant que le sien et de lui demander de faire sa part de corvées.

— J'apprécie beaucoup, dit-elle.

Il lui vola un baiser, puis se mit au travail.

Après le dîner, ils regardèrent un film dans le séjour, blottis l'un contre l'autre sur le canapé. Au chaud dans les bras d'Aaron, elle se sentait en sécurité, plus heureuse qu'elle ne l'avait été depuis très longtemps.

Comme s'il devinait ses pensées, il l'attira un peu plus près. Il rejeta sa chevelure sur le côté et piqueta son cou de petits baisers. Rejetant la tête en arrière, elle le laissa faire et il trouva l'endroit qui la faisait frissonner.

Il glissa les mains sous son T-shirt et lui caressa le ventre du bout des doigts.

— Aaron, murmura-t-elle.

Il l'embrassa à pleine bouche et à son tour, elle souleva son T-shirt et fit courir ses doigts sur son ventre.

— J'aime tellement te toucher…

En guise de réponse, il dégrafa son soutien-gorge et arrondit les mains sur ses seins.

— Moi aussi, dit-il d'une voix rauque. Tu es si douce… Il faut que je te voie.

Il ne lui fallut que quelques secondes pour la débarrasser de son T-shirt.

— Et la parité ? fit-elle.

Il rit et ôta également le sien. Elle promena lentement les doigts sur ses pectoraux.

— Pour un bon vivant, tu es dans une forme étonnante, dit-elle. J'adore te regarder.

Il lui vola un autre baiser.

— Regarder, ce n'est pas assez.

— Alors touche-moi. Embrasse-moi, murmura-t-elle en fermant les yeux.

Il lui lécha la pointe d'un sein.

— C'est si bon…

— Est-ce que je t'ai déjà dit à quel point tu étais fantastique ? dit-il.

Il se redressa légèrement.

— On était censés progresser peu à peu, apprendre à mieux se connaître… mais c'est très difficile de te résister. Cela ne m'était encore jamais arrivé. J'avais toujours réussi à garder mon contrôle. Pourtant, avec toi, c'est différent.

— En bien ou en mal ?

— En bien, naturellement. Même si, en même temps, cela fait un peu peur.

Il posa la main sur sa joue.

— Joni… J'aimerais te prendre dans mes bras, te porter sur mon lit et passer le reste de la nuit à faire l'amour avec toi. Mais je ne le ferai pas.

Parce qu'elle ne correspondait pas à son attente, comme pour Marty ? Elle n'était pas assez bien ?

Il dut voir quelque chose sur son visage, car il lui sourit.

— Je ne veux pas précipiter les choses, ni me dire que c'est acquis. Je veux te chérir, dit-il en l'embrassant. Rien ne presse, et je veux prendre le temps de te faire la cour.

Emue, elle l'embrassa à son tour.

— C'est la chose la plus gentille que l'on m'ait jamais dite…

— Cela vient du fond de mon cœur.

Joignant le geste à la parole, il lui prit la main et la posa sur son cœur. Elle le sentit battre à grands coups forts et rapides. Il battait pour elle.

— Alors, si tu veux bien te retourner ou fermer les yeux, je vais me rhabiller, dit-elle.

Il sourit de nouveau.

— Pour cette fois j'obéis, Nizhoni qui porte si bien ton nom. La prochaine fois…

Rien qu'au son de sa voix, plein de promesses, elle sentit un long frisson la parcourir tout entière.

11.

Durant les quinze jours qui suivirent, Joni fut vraiment heureuse. Au travail, elle était en parfait accord avec Aaron, et ils se rapprochaient un peu plus chaque fois qu'ils se voyaient en dehors de l'hôpital. Ils avaient des goûts semblables, et s'amusaient à établir la liste des endroits sortant de l'ordinaire qu'ils avaient envie de visiter.

Mais, par-dessus tout, ils craignaient de moins en moins que ce qu'il y avait entre eux ne disparaisse. Elle ne savait toujours à peu près rien de la famille d'Aaron et il n'avait pas proposé de revoir la sienne, mais elle était sûre à présent qu'il leur fallait seulement un peu plus de temps.

Le plus extraordinaire était qu'ils avaient réussi à mener à bien la seule chose à laquelle ils n'osaient croire. M. Kirby, leur patient atteint de la rage de chauve-souris, était resté dans le coma pendant dix jours — assez longtemps pour que la médication antivirale et les immunoglobulines fonctionnent. Ils l'avaient sorti graduellement du coma. Le virus avait été de la souche la plus faible souvent trouvée chez les chauves-souris — ou bien le traitement expérimental avait réellement marché — car il avait survécu à cette épreuve.

Il avait quelques problèmes de langage, quelques difficultés au niveau moteur, mais la rééducation allait grandement l'aider.

— C'est entièrement grâce à toi, dit-elle à Aaron.

Il haussa les épaules.

— J'avais seulement entendu parler du traitement. C'est toi qui as tout mis en place.

— Alors, c'est un très bon travail d'équipe, répondit-elle en le gratifiant d'un sourire radieux.

— Je lève mon verre à notre collaboration, dit-il en soulevant son mug de café.

Le samedi matin, Aaron et Joni se retrouvèrent chez elle.

— Je te propose d'aller faire un des plus vieux marchés de Londres, à côté du London Bridge, lui dit-elle.

Ils prirent le métro jusqu'à Borough Market et passèrent une heure entre les étals. Elle fut heureuse de découvrir un muesli spécial diabétique, et il trouva sur place le café qu'il faisait venir de Manchester. Cela se termina par une conversation très pointue avec le vendeur sur la torréfaction. Joni apprit, à son grand étonnement, qu'il y avait des notes florales dans le café.

Ils achetèrent du pain artisanal, du jambon, des tomates et du fromage pour le déjeuner, ainsi qu'une barquette de pêches et des bouteilles d'eau. Puis ils traversèrent le pont main dans la main et entrèrent dans le parc pour pique-niquer. Ils trouvèrent le Watts Memorial, dédié aux héros qui avaient fait le sacrifice de leur vie, et notamment un médecin militaire qui avait sauvé un enfant de la diphtérie au prix de sa vie, en aspirant la membrane qui gênait la respiration de l'enfant.

Tous deux échangèrent un regard.

— De nos jours, nous sommes beaucoup plus protégés techniquement et nous bénéficions des progrès de la médecine prophylactique, dit Joni. Mais je pense que nous serions toujours capables de prendre des risques pour sauver quelqu'un, si c'était la seule façon.

Elle réprima un frisson.

— Cela fait prendre conscience de la chance que nous avons, dit-elle. Je crois que nous devons jouir de chaque instant, car on ne sait jamais ce que l'avenir nous réserve.

— *Cueillez dès aujourd'hui les roses de la vie*, dit Aaron

avant de déposer un baiser léger sur son nez. Allez, viens, allons pique-niquer et profiter du soleil.

Le simple fait d'être avec lui suffisait pour qu'elle se sente détendue et heureuse, et elle apprécia leur repas pris dans le parc.

Pendant qu'ils mangeaient, il l'interrogea sur l'alimentation traditionnelle des Diné. Aaron s'intéressait à ses origines et les respectait. Cela lui faisait du bien d'être acceptée pour ce qu'elle était vraiment.

— C'est une nourriture assez simple, dit-elle. Du pain, des légumes, de la viande et du poisson. En fait, les Diné sont essentiellement des fermiers. Si tu veux, je pourrais te préparer un plat traditionnel ce soir. On passera au super-marché faire quelques achats avant de rentrer.

Plus tard, pendant qu'elle préparait le dîner, elle se sentit aussi à l'aise avec Aaron assis dans sa cuisine qu'il semblait l'être avec elle.

— Je vais te faire un ragoût de patates douces, de poivrons et d'oignons. On fait cuire au four, on ajoute une sauce tomate pimentée et des haricots noirs, on laisse mijoter et on sert avec du poisson grillé.

Visiblement alléché, il mit la table pendant qu'elle terminait la cuisson. Puis tous deux firent honneur au repas.

— C'était fantastique ! s'exclama-t-il en poussant un soupir de bien-être quand ils furent de nouveau sur le canapé, blottis l'un contre l'autre. Je n'ai pas été aussi heureux depuis bien longtemps, fit-il plus doucement. Tu as éclairé mon monde, Joni.

Elle sentit ses yeux se remplir de larmes.

— Joni ? Tu pleures ?

— C'est tellement gentil, ce que tu viens de dire. Excuse-moi, je tombe dans la sensiblerie.

— Pas du tout.

D'un baiser, il effaça la larme qui coulait sur sa joue.

— Toi aussi, tu as fait de mon monde un endroit plus lumineux, murmura-t-elle.

— J'en suis heureux. Je t'aime beaucoup, Joni. Vraiment.

— Moi aussi.

Elle l'aimait même plus que cela, mais elle n'était pas prête à le lui dire à haute voix.

— Tu restes cette nuit? lui demanda-t-elle à mi-voix. Je ne peux pas te promettre un bon café, mais tu auras un très bon sandwich au bacon au petit déjeuner.

Il l'embrassa tendrement.

— Es-tu sûre que c'est ce que tu veux?

Elle hocha la tête.

— La lenteur ne me convient plus.

— A moi non plus. Que veux-tu, Joni?

— Toi, répondit-elle simplement. Nu, dans mon lit. Et à l'intérieur de moi.

Ce fut comme si elle avait actionné un déclic. Il se leva et la prit dans ses bras.

— Où est ta chambre?

Ils allaient de nouveau être peau contre peau. Enfin. Et cette fois, il ne s'arrêterait pas.

— Tu es si belle que tu me rends fou, dit-il dans un souffle.

Dans ce cas, ils étaient deux.

Il la déshabilla lentement — si lentement que le désir ne cessait de monter en elle. Il prenait tout son temps, caressant et titillant de sa bouche chaque centimètre carré qu'il découvrait.

— Aaron, je t'en supplie, touche-moi.

— Ici? demanda-t-il en lui caressant les chevilles.

— Plus haut.

— Ici?

Il la caressait derrière les genoux. Depuis quand les genoux étaient-ils une zone érogène? Pourtant, elle était de plus en plus excitée.

— Ici?

Il lui embrassa l'intérieur de la cuisse.

— Tu chauffes, dit-elle. Mmm…

Elle ferma les yeux, sachant ce qu'il allait faire ensuite. Elle en avait tellement envie qu'elle se mit à gémir doucement.

Alors il glissa la main entre ses cuisses et commença à la caresser de son pouce.

— Et là, je brûle ? demanda-t-il avec un sourire coquin.

Comme s'il ne le savait pas. Il continua jusqu'à ce qu'elle atteigne l'orgasme et resta près d'elle à l'embrasser tendrement.

Puis il la porta jusqu'au lit.

— Me voici comme tu l'as demandé, dit-il. Nu, dans ton lit… et bientôt à l'intérieur de toi.

— Maintenant, pria-t-elle.

Il prit un préservatif, s'agenouilla entre ses cuisses et entra en elle.

— C'est beaucoup mieux, dit-elle, comblée, avant de l'embrasser.

Aaron poussa un soupir. Ici, avec Joni, il se sentait… complet. Il pouvait se perdre en elle et se retrouver tout à la fois. Avec elle, il était différent. Il pouvait être lui-même, le passé n'importait plus. Et peut-être — peut-être — pourrait-il laisser parler ses émotions… Se connecter avec elle par le cœur autant que par le corps.

Elle noua les jambes autour de ses reins, l'invitant à entrer plus profondément en elle, et il cessa de penser, trop occupé à ressentir : la joie, l'explosion de son orgasme… Il se sentait comme reconstruit, plus fort qu'auparavant.

Il pourrait aimer cette femme. Il plongea son regard dans le sien. Vraiment l'aimer, cœur et âme.

Curieusement, cela ne lui faisait pas peur. Il avait l'impression, au contraire, que tout était à sa place, bien réel.

Quand elle s'endormit dans ses bras, il se sentit plus en paix qu'il ne l'avait été depuis des années.

12.

Le mardi, un jeune de quinze ans vint aux consultations externes accompagné de sa mère. Il était allé aux Antilles, en République dominicaine, avec son école un mois auparavant. Sa mère pensait qu'il n'avait pas pris régulièrement ses cachets en prévention contre la malaria, car il avait des symptômes inquiétants : maux de tête, fièvre, frissons et problèmes intestinaux.

Aaron surprit sur lui le regard de Joni. La malaria. La maladie qui avait marqué toute sa vie. Mais il était médecin, ses patients passaient en priorité et ses émotions en dernier.

Il expliqua à la mère de Nick que les cachets n'étaient pas efficaces à cent pour cent et, après avoir examiné son fils, préleva un échantillon de sang.

Le résultat du test ne tarda pas : il était positif. Nick était atteint de la forme la plus grave de la maladie — *Plasmodium falciparum* — à cause de la piqûre d'un moustique infecté. Il fut immédiatement admis à l'hôpital car l'évolution pouvait être très rapide.

C'était exactement ce qui était arrivé à Ned. Le parasite avait détruit ses globules rouges, déclenchant une sévère anémie. L'infection avait progressé sur le plan cérébral, obstruant les vaisseaux sanguins du cerveau, ce qui avait fini par le tuer.

Le traitement médicamenteux était destiné à éliminer les parasites, il fallait effectuer de nombreux tests sanguins au fur et à mesure pour contrôler leur nombre.

A la fin des consultations et après l'admission de Nick dans la salle, Joni se tourna vers Aaron.

— Est-ce que ça va ?

— Bien sûr.

Mais elle ne se laissa pas abuser.

— C'est la forme de malaria qu'a eue ton frère, et Nick a un an de moins que Ned à l'époque. Cela doit forcément t'évoquer des choses pénibles.

C'était effectivement le cas, mais il haussa les épaules.

— Tout va bien. Mais merci de t'en inquiéter.

— Aaron, dit-elle doucement. Je sais que tu détestes parler de toi. Mais parfois, cela peut vraiment faire du bien de se soulager auprès de quelqu'un au lieu de tout accumuler. Si jamais tu as envie de parler, je suis là. A n'importe quelle heure du jour et de la nuit.

Il en fut stupéfait. Elle était prête à faire cela pour lui ? Personne ne lui avait encore fait une telle offre.

Mais personne, parmi les gens qu'il avait rencontrés dans sa vie, n'avait ressemblé à Joni. Et il n'avait jamais laissé personne s'approcher de lui aussi près — pas depuis la mort de Ned.

Soudain, sans se préoccuper d'être vu, il l'entoura de ses bras et l'étreignit.

— Merci, Joni. J'apprécie vraiment.

Elle parut d'abord choquée par cette manifestation inattendue, puis sourit et effleura sa joue.

— Je sais.

Son regard lui dit à quel point elle comprenait la valeur de son geste en public.

Plus Aaron passait de temps avec Joni, plus il se rendait compte qu'il était en train de tomber amoureux d'elle.

Elle le complétait, comblait tous ses manques. Et il savait qu'elle pouvait lui donner ce qui lui avait manqué : une famille proche et quelqu'un à aimer, qui l'aimerait tout autant.

Mais serait-il assez bien pour elle ? Ou bien finirait-il par la décevoir, comme il avait déçu tout le monde dans sa vie — y compris lui-même ?

Il voulut faire un effort. Le week-end suivant, il décida de la surprendre chez elle. Ils avaient tous les deux été de service la veille et n'avaient pas pu sortir. Or, il savait qu'elle consacrait le dimanche après-midi à sa famille. Il passa donc la voir le matin, pour lui voler quelques minutes avant qu'elle n'aille les retrouver.

Elle l'accueillit avec un grand sourire.

— Aaron ! Je ne m'attendais pas à te voir aujourd'hui. Viens prendre une tasse de thé.

— Avec plaisir.

Il lui tendit le bouquet de fleurs qu'il tenait caché derrière son dos.

— Pour toi.

— Oh ! des tournesols ! Ils sont magnifiques, dit-elle en l'embrassant. Merci beaucoup.

— Je me suis rappelé les tableaux de Van Gogh.

Elle rayonnait littéralement.

— La réalité est encore mieux. J'adore les couleurs, elles sont si gaies… Entre, je vais les mettre dans l'eau.

Mais quand il passa le seuil, il entendit des bruits de voix.

— Tu as du monde ?

— Ma famille. Le dimanche, nous faisons la cuisine à tour de rôle et aujourd'hui, c'est mon tour.

Il n'était jamais venu à l'esprit d'Aaron qu'ils pouvaient tous se trouver chez Joni. Les rares fois qu'il les avait vus, c'était chez ses parents.

— Désolé, dit-il en faisant un pas en arrière. Je ne voulais pas vous déranger.

— Bien sûr que non. Viens te joindre à nous. Nous te garderons à déjeuner avec plaisir, si tu es libre. Comme mon appartement est petit, je prépare généralement un buffet. Il y a toujours plus que nécessaire.

Sa réticence devait paraître sur son visage, car elle l'embrassa de nouveau.

— Arrête de réfléchir et entre. Si tu veux te rendre utile, tu peux faire du café, mais ce n'est pas une obligation.

Il fut soulagé d'avoir quelque chose à faire — cela lui donnait un prétexte pour ne pas affronter directement la famille. Ce n'était pas qu'ils lui déplaisaient — il avait apprécié leur chaleur et leur convivialité quand il les avait vus au concert — mais là, il sortait largement de son périmètre de sécurité. Même la présence de Joni ne suffisait pas à étouffer l'horrible sentiment que tout allait finir par mal tourner.

— Il y a quelque chose qui sent bon, dit-il pour tenter de se distraire de ses pensées.

— Rien de très excitant, je le crains. J'ai préparé une ratatouille, les pommes de terre en robe des champs sont en train de cuire, et je ne vais pas tarder à mettre le saumon et le poulet au four. Arrête de faire des manières, fit-elle en l'embrassant de nouveau.

— Bien, madame, répondit-il.

Mais il aurait voulu être à des centaines de kilomètres de là. Il n'était décidément pas prêt pour ça : voir la famille de la femme qu'il fréquentait, mais pas seulement en tant que collègue.

Il prépara le café, puis la suivit dans le séjour. Sam et Marianna étaient là, ainsi que Luke et Olly avec leurs petites amies respectives. Tous le saluèrent chaleureusement.

Aaron fit de son mieux pour paraître poli et aimable, comme à son habitude, mais à l'intérieur, il avait l'impression d'être un imposteur. Tous ces gens formaient un groupe uni, alors que lui n'appartenait même pas à sa propre famille. Et c'était uniquement sa faute.

A présent, il avait la réponse à la question qu'il se posait depuis longtemps. Il ne suffirait jamais à Joni : elle méritait bien plus qu'il ne pouvait lui donner. Même en faisant de gros efforts, il ne pouvait prétendre être quelqu'un qu'il n'était pas. Quelqu'un qui savait exprimer ses émotions, qui pouvait avoir des rapports plus profonds avec sa famille et ses amis, et qui saurait lui faire sentir qu'elle était le centre de l'univers.

Il ne pouvait rien faire de tout cela.

Certes, l'attirance physique était très forte entre eux. Certes, il l'aimait bien — plus que ça, même. Au point d'être tout près de tomber amoureux. Mais il ne pouvait pas être l'homme dont elle avait besoin.

Plus il laisserait leur relation se poursuivre, plus ils en souffriraient tous les deux quand elle se terminerait. Il fallait donc qu'elle s'arrête maintenant. Il ne le ferait pas en présence de la famille de Joni — il n'était pas goujat à ce point — mais le lendemain, il trouverait un moment tranquille.

Et il ferait ce qu'il fallait. Pour leur bien à tous les deux.

Plus tard, dans la soirée, la mère de Joni la prit à part.

— Il est plutôt distant, ton Aaron, dit-elle.

— Qu'entends-tu par là ? demanda Joni.

— Il ne se livre pas beaucoup, on dirait. Il est poli et charmant, mais… chaque fois que je lui posais une question personnelle, il changeait de sujet. Tu sais, je travaille avec de jeunes enfants, je connais toutes les techniques pour les distraire. Crois-moi, il les a utilisées avec moi.

— Maman, nous ne sommes pas ensemble depuis longtemps. Il ne savait pas que vous étiez ici aujourd'hui, je l'ai un peu pris de court en l'invitant au dernier moment. Et ce n'est pas la même chose d'être considéré comme un petit ami que comme un collègue.

— Je sens bien que quelque chose ne va pas, et cela m'inquiète…

Joni la serra dans ses bras.

— Parce que tu es ma maman et que tu ne peux pas t'empêcher de te faire du souci. Mais tout va bien. C'est encore un peu tôt, c'est tout. Il a toujours beaucoup bougé à cause de sa famille, et il a connu le pensionnat dès son plus jeune âge. N'importe qui serait un peu réservé, à sa place.

— Peut-être.

Mais sa mère n'avait pas l'air convaincu.

— Il n'est pas comme Marty, maman, lui dit-elle en souriant. Tout ira très bien.

Le lundi matin, Aaron proposa à Joni de se retrouver à la cantine après les consultations. Il avait l'air sombre, et elle eut le pressentiment que les choses allaient mal tourner.

D'autant plus que, la veille, il avait trouvé une excuse pour partir de chez elle avant sa famille, et ne l'avait pas rappelée de la soirée. Elle avait pensé qu'il avait été un peu gêné par la présence inattendue de sa famille et qu'il avait besoin de tranquillité.

Après une matinée très chargée, elle le rejoignit enfin à la cantine.

— Si on se prenait un sandwich et qu'on allait se promener dans le parc ? proposa-t-il.

Elle accepta avec le sourire, mais elle se sentait de plus en plus mal. Comme si elle avait un trou noir dans le cœur, qui ne lui laissait qu'un grand vide.

Il attendit qu'il n'y ait plus personne autour d'eux pour parler.

— Joni, je suis désolée. Ce qu'il y a entre nous…

Il mettait fin à leur histoire. Elle avait eu beau s'y attendre, cela lui fit mal. Ils s'entendaient pourtant si bien… Tout se passait à merveille entre eux.

Jusqu'à dimanche, quand il avait passé l'après-midi avec sa famille.

Elle avait donc refait la même erreur : elle était tombée amoureuse d'un homme qui n'était pas à l'aise avec sa propre famille, et encore moins avec le fait qu'elle soit proche de la sienne.

Quelle imbécile elle avait été, de croire qu'elle avait enfin trouvé quelqu'un qui s'intéressait à elle pour ce qu'elle était, et non pour ce qu'il voulait qu'elle soit… Cela lui apprendrait à voir la vie à travers des lunettes teintées de rose.

Bon. Elle pouvait lui laisser l'initiative de la rupture, ou garder sa fierté intacte en prenant les devants. Dans les deux cas, cela ferait horriblement mal.

Elle releva le menton. Ainsi, elle se sentirait un peu moins inférieure.

— Tu as raison, dit-elle du ton le plus détaché qu'elle put. C'est trop compliqué quand on est collègues. Il vaut mieux que nous en restions à une relation de travail, sans rien de personnel.

Il parut soulagé de la voir réagir aussi bien.

— Je suis désolé, dit-il encore.

Habituellement, c'était sa réplique, songea-t-elle avec une ironie amère.

Mais il n'avait pas à s'excuser, car ce n'était pas uniquement sa faute. C'était aussi la sienne, pour avoir été aussi stupide. Pour avoir cru qu'ils pouvaient avoir un avenir ensemble, et qu'il éprouvait peut-être la même chose pour elle qu'elle pour lui. Et pour n'avoir pas appris de ses erreurs passées.

— Pas de problème.

Elle lui fit son plus beau sourire.

— En fait, je n'ai pas beaucoup de temps pour déjeuner. J'ai un tas de paperasse en retard, il faut que je rentre. On se voit plus tard, d'accord ?

Elle tourna les talons sans attendre sa réponse. Avant que son sourire ne s'efface, dévoilant toute sa peine. Jamais, plus jamais elle ne tomberait amoureuse.

Aaron se sentit terriblement coupable en voyant Joni s'éloigner. Il savait qu'il l'avait fait souffrir. Mais, en même temps, il était absolument certain que c'était pour son bien et qu'il avait fait ce qu'il fallait, même s'il avait mal, lui aussi. Dès le début, il l'avait prévenue. Elle avait cru qu'il pouvait être différent, mais il n'y était pas parvenu. Il avait donc pris la bonne décision.

Désormais, il allait garder ses distances avec elle. La

vie n'aurait plus le même goût. D'un seul coup, toute la lumière était partie.

Pour la première fois de sa vie, il comprenait ce qu'il avait ressenti pendant toutes ces années — un sentiment qui avait disparu quand il avait fréquenté Joni, mais qui avait retrouvé toute sa place.

La solitude.

Eh bien, il lui faudrait vivre avec. Il valait mieux que ce soit *lui* qui se sente misérable et solitaire, plutôt qu'elle.

Il avait agi pour le mieux : il lui avait donné une chance de trouver quelqu'un qu'elle méritait vraiment.

13.

Pendant la semaine, l'atmosphère au travail fut lugubre. Aaron évitait Joni le plus possible et se plongeait dans la paperasse entre les consultations et les tournées.

Naturellement, il ne se rendit pas à la soirée mensuelle. Il savait qu'il devrait organiser la suivante, mais, en attendant, il n'avait pas le courage de revoir Joni en dehors du travail. Pas tant que ses émotions ne seraient pas de nouveau totalement sous contrôle. Il devait cesser de vouloir la prendre dans ses bras chaque fois qu'il la voyait, il ne fallait plus qu'elle lui manque.

Toute cette histoire était ridicule. Il avait toujours su que cela ne marcherait pas entre eux et qu'il ne ferait que la rendre malheureuse. Alors pourquoi ne pouvait-il pas cesser d'être égoïste et d'avoir envie d'elle ? Pourquoi ne pouvait-il pas ignorer le besoin grandissant qu'il avait de lui dire qu'il venait de faire la plus grosse erreur de sa vie et de lui demander de lui donner une autre chance ?

Heureusement, Joni avait encore deux jours de congé à prendre. Cela leur donnerait un peu d'espace. Son cerveau allait peut-être s'adapter au changement.

Sauf que cela ne fonctionna pas : elle lui manqua plus que jamais.

La seule chose qui le sauva fut qu'il était vraiment très occupé au travail. Il était pourtant de service aux mêmes heures que Joni, mais elle ne lui demanda son avis pour aucun de ses cas, et il n'eut pas besoin de la consulter pour les siens.

Excepté pour celui de Mme Moore, qu'il avait d'abord crue grippée. Elle s'était finalement révélée atteinte de la maladie des légionnaires, à cause du système d'air conditionné défectueux dans son hôtel d'Espagne.

Aaron fit faire des examens du sang et des urines. Si les tests s'avéraient positifs, il lui faudrait le nom de l'hôtel et il devrait joindre les autorités sanitaires espagnoles.

Les tests indiquèrent effectivement une légionellose. Il mit sa patiente sous antibiotiques et préféra la garder en observation, car elle était diabétique, ce qui la rendait plus vulnérable aux infections.

Si seulement Joni avait été là pour rassurer Mme Moore sur la question du diabète… Une fois de plus, elle lui manquait, cette fois en tant que collègue.

Dans deux semaines, si tout allait bien, il n'y paraîtrait plus pour Mme Moore.

A la fin de la journée, Aaron garda la porte de son bureau ouverte, guettant le passage de Joni.

Il venait juste de sortir dans le couloir, quand il la vit.

— Joni, est-ce que je peux te dire un mot ?

Mais quand elle se tourna vers lui, elle pâlit brusquement et s'évanouit à ses pieds.

— Joni ? Joni ?

Oh ! non. Pourvu qu'il ne lui arrive rien. Ce malaise ne lui disait rien de bon. Surtout avec son passé médical.

Ignorant la panique qui s'insinuait dans ses veines, il s'agenouilla près d'elle pour vérifier sa respiration et son pouls.

« Avant tout, être un médecin. » Une fois Joni en sécurité, il pourrait éventuellement se préoccuper de ses émotions.

Elle n'avait pas de difficultés à respirer, mais était toujours inconsciente. Il savait qu'elle avait toujours surveillé son diabète avec soin, mais mieux valait vérifier son taux de sucre. Si elle n'avait pas bien dormi ou trop travaillé, elle avait peut-être été moins attentive.

Nancy, qui était arrivée en courant, alla chercher le sac de Joni, dans lequel elle gardait toujours son kit. Aaron lui piqua le doigt et fit le test à l'aide d'une bandelette.

— Elle est en hypoglycémie, dit-il. Comme elle est inconsciente, je ne peux pas lui donner de glucose par voie orale, je dois lui administrer du glucagon en intramusculaire. Pouvez-vous m'apporter un linge et de l'eau ?

Puis il se tourna vers Joni.

— Accroche-toi, ma belle Nizhoni. Nous allons arranger ça. Ensuite, j'espère que tu me donneras une autre chance.

Il écarta une mèche de cheveux de ses yeux. Elle avait l'air si fragile, si vulnérable.

— Je te jure que désormais, je ne laisserai plus rien te faire du mal, murmura-t-il.

Nancy revint avec le kit de glucagon et de l'eau. Il prépara la seringue.

— Aidez-moi à la mettre en position latérale de sécurité, dit-il. Le glucagon pourrait la faire vomir.

Il lui injecta la solution dans le muscle du bras.

— Si elle ne revient pas à elle d'ici dix minutes, nous devrons refaire un test et lui donner une seconde dose de glucagon avant de l'envoyer tout droit aux urgences.

Par précaution, Nancy alla chercher un chariot tandis qu'il restait près de Joni, vérifiant toujours sa respiration et son pouls.

Pourvu que le glucagon agisse vite. Pourvu qu'elle se remette vite et n'ait pas besoin d'être soignée aux urgences…

Au moment où Nancy revenait avec le chariot, Joni battit des paupières. La seconde suivante, elle vomit.

— Oh ! non. Je suis désolée, dit-elle en gémissant.

— Ne t'excuse pas, ce n'est pas ta faute, dit-il en nettoyant.

— Je ne me sens pas bien du tout… Que s'est-il passé ?

— Tu es tombée dans les pommes. Hypoglycémie.

— Mais je…

— Ch-chut, n'essaie pas de parler. J'ai dû t'administrer du glucagon. Demain, ton bras sera un peu douloureux.

— Mieux vaut avoir mal au bras que faire un coma diabétique, répondit-elle, visiblement encore groggy.

— Bois un peu d'eau, dit-il en lui tendant un verre. Nancy, si vous voulez partir, je resterai.

— Vous êtes sûr ? demanda l'infirmière.

— Tout à fait.

Plus qu'il ne l'avait jamais été de toute sa vie.

Après son départ, il porta Joni dans ses bras jusqu'à son bureau.

— Tu vas t'asseoir dans mon fauteuil et te reposer le temps qu'il faudra, dit-il. Ordre du médecin.

— Je te trouve bien autoritaire, répondit-elle avec un petit sourire.

C'était plutôt bon signe. Il aurait voulu la garder dans ses bras pendant des heures, mais il n'en avait pas encore le droit.

— Je vais te chercher un autre verre d'eau et quelque chose à grignoter, lui dit-il. Reste ici et ne t'endors pas. Si tu as un malaise, mets ta tête entre tes genoux.

Quand il fut de retour avec deux barres de céréales au chocolat, de l'eau et des bonbons à la menthe pour lui rafraîchir la bouche, elle n'avait pas bougé, l'air encore un peu étourdi.

— Merci. Tu m'as sauvé la vie, dit-elle en grignotant une barre. Tu as vraiment pris soin de moi.

Parce qu'il l'aimait. Il ne voulait plus rester sans elle. Quand il l'avait vue sur le sol, inconsciente, il lui avait semblé que tout se mettait en place dans sa tête.

Mais il n'allait pas tout lui sortir comme cela. Il devait trouver les mots justes.

— A ton avis, comment se fait-il que tu sois tombée en hypoglycémie ? demanda-t-il.

— Je me sentais bizarre depuis un jour ou deux. J'ai pris deux jours de congé cette semaine.

Il le savait. Elle lui avait affreusement manqué.

— J'étais parfois en sueur et un peu tremblante, mais je

ne m'en suis pas inquiétée. J'aurais dû faire plus attention, dit-elle en faisant la grimace.

— Tu as beaucoup travaillé depuis ton retour. Et le stress que je t'ai causé n'a pas dû arranger les choses.

Le visage de Joni se ferma.

— On a dit qu'on n'en parlerait pas. C'est personnel.

— C'est justement pour cela que nous devons en parler.

Elle fronça les sourcils.

— Je croyais que tu n'exprimais pas tes émotions, Aaron.

— Il est justement temps que j'apprenne. Parce que, depuis que nous avons rompu, je me sens misérable. Je me suis rendu compte à quel point j'avais été stupide. Juste avant que tu ne t'évanouisses, je voulais te parler.

Elle lui jeta un coup d'œil méfiant.

— En te voyant évanouie, j'ai pris conscience de mon erreur, et de ce que serait ma vie sans toi. Et… elle serait insupportable.

— Mais… nous nous étions mis d'accord pour n'être plus que des collègues…

— Ce n'est pas assez. Je viens de faire la plus grosse erreur de ma vie en croyant agir pour le mieux, et j'en suis désolé. Il y a autre chose qu'il faut que je te dise, Joni. Ay-oo — oh, non. Je me suis pourtant entraîné, mais quand je t'ai vue par terre, tout s'est mélangé dans ma tête. Attends une seconde.

Il saisit son téléphone et passa en revue les notes qu'il avait prises.

— Ça y est. Nizhoni Parker, ah-yoh ah-nee-nish-neh, articula-t-il avec application.

Elle le fixa, stupéfaite.

— Viens-tu de dire ce que je crois que tu as dit ?

— J'espère que j'ai bien prononcé. J'ai visionné une demi-douzaine de vidéos et je l'ai écrit pour m'en souvenir.

Elle sourit en secouant la tête.

— Je n'arrive pas à croire ce que je viens d'entendre. Et en navajo.

Je t'aime. Il n'avait jamais dit ces mots à personne.

— Tu disais que, dans le passé, tu avais toujours choisi les hommes qu'il ne fallait pas — et je m'inclus dedans. Je t'ai fait du mal, et je te demande pardon.

Il inspira longuement.

— Je ne sais pas exprimer ce que je ressens, car j'ai passé toute ma vie à contrôler mes émotions, comme les trois générations qui m'ont précédé. Alors j'ai besoin de temps en temps que l'on me rappelle comment agir comme une personne normale. Mais je te promets que, dorénavant, je ferai des efforts et je ne me découragerai pas. Je ferai en sorte que tu ressentes la même chose envers moi que moi envers toi.

Elle ne disait toujours rien, mais il lui sembla que son regard était rempli d'espoir.

— Je t'aime, dit-il. Ah-yoh ah-nee-nish-neh. Cela me terrifie, mais c'est ce que je ressens et je ne peux rien faire pour l'empêcher — bien que j'aie essayé. Je me sens meilleur depuis que je suis avec toi. Seulement, ma famille… Elle n'est pas comme toi. Nous ne sommes pas proches. Je me fais un devoir d'appeler mes parents une fois tous les quinze jours, mais nous ne parlons jamais plus de deux minutes. S'ils me demandent comment je vais, ils s'attendent à ce que la réponse soit « Bien », de sorte qu'il n'est pas vraiment nécessaire de poser la question.

Elle posa la main sur sa joue.

— Ce doit être dur pour toi.

— Pas vraiment. J'y suis habitué, j'ai grandi comme ça.

Il haussa les épaules.

— Et c'est la même chose avec ma sœur et mon autre frère.

— J'ignorais même que tu avais des frères et sœurs…

— Ils sont plus âgés que Ned. Je suis le petit dernier, et je crois que je n'ai pas été planifié. Sally est en Afrique et Ben dans le Middle East. Ils sont aussi dans les forces armées. Tout le monde pense que j'ai « trahi » en ne devenant pas médecin militaire. Nous n'avons pratiquement rien en commun, je n'arrive même pas à me rappeler la dernière fois que nous avons été réunis. Ce n'est pas un problème pour moi — j'ai toujours eu ce genre de relation avec eux. Mais je crains que ce ne soit difficile pour toi.

— Alors tu as dû trouver ma famille terriblement envahissante, dit-elle d'un air soucieux. C'est la raison pour laquelle tu es parti plus tôt — et c'est pourquoi tu as fait machine arrière le lendemain.

— Ta famille est adorable, dit-il d'un ton sans appel. Ils sont tous chaleureux, bienveillants et prêts à se soutenir. Mais il faut que je me rende à l'évidence : je ne peux pas leur ressembler.

— Tu n'as pas besoin de ressembler à qui que ce soit, dit-elle. Contente-toi d'être toi-même.

Il ne put retenir la question suivante.

— Comment peux-tu savoir que je te suffirai ?

— Parce que je sais de quoi j'ai besoin, répondit-elle.

— C'est-à-dire ?

— De quelqu'un qui aime les choses qui sortent de l'ordinaire. Quelqu'un qui fait un café fantastique. Et quelqu'un qui me donne l'impression que le soleil brille même si la tempête fait rage dehors.

C'était ce qu'il lui faisait ressentir ?

— J'ai besoin de toi, Aaron, dit-elle doucement. Tel que tu es. Si tu es assez brillant pour être consultant à l'âge de trente-trois ans, tu dois l'être assez pour apprendre à faire parler tes émotions. Avec le bon professeur — c'est-à-dire moi.

— Je veux être différent. Mais j'ai essayé, et je t'ai déçu.

— Non, tu ne m'as pas déçue — même si j'ai été plutôt mal quand j'ai compris que tu voulais me quitter.

— Je me suis déçu, moi. Je ne me sens pas assez bien pour toi, même si je suis brillant dans mon travail.

— Le travail fait partie de toi. Si tu ne me convenais pas, je n'éprouverais pas ce que j'éprouve pour toi. Je ne me sentirais pas assez courageuse pour prendre des risques et envisager l'avenir avec toi.

Il écarquilla les yeux.

— Tu es prête à prendre le risque ?

— Oui. Parce que je t'aime aussi, Aaron. Il est vrai que nous avions commencé sur d'autres bases lorsque nous avons dansé ensemble. Mais plus j'ai appris à te connaître, plus j'ai appris à t'aimer. Mais es-tu sûr de tes sentiments ? demanda-t-elle en lui caressant la joue.

— Je n'ai jamais rien éprouvé de tel pour personne, dit-il. Auparavant, j'étais toujours resté détaché. Mais toi… Tu es irrésistible. Tu es comme un rayon de soleil. Tu as éclairé mon monde rien que par ta présence.

Il se tut une seconde.

— Mais je ne peux pas te promettre une vie parfaite.

— Personne ne peut faire une telle promesse, dit-elle. C'est le plus sûr moyen d'aller à l'échec. Mais nous pouvons nous promettre mutuellement que nous serons là l'un pour l'autre. D'être attentif à l'autre, et de le ramener à la raison quand c'est nécessaire.

Il sourit.

— C'est ce que tu es en train de faire avec moi ?

Elle hocha la tête en lui rendant son sourire.

— Si tu es assez courageuse pour prendre le risque, je le prendrai aussi, dit-il.

— Ensemble, murmura-t-elle en lui prenant la main.

— Ensemble.

Ils entrelacèrent leurs doigts.

— Nizhoni Parker, je ne peux pas te promettre une vie parfaite. Mais je peux te promettre de t'aimer le restant de mes jours. Avec toi à mes côtés, je sais que je deviendrai meilleur.

— Tu es déjà très bien pour moi. Peut-être qu'en te le répétant chaque jour, tu commenceras à y croire. *Ayoo aniinishni.*

— Ah-yoh ah-nee-nish-neh. Je t'aime aussi, dit-il.

COLLECTION *Blanche*

Ne manquez pas, dès le 1er février

LA FAMILLE DE SES RÊVES, d'Alison Roberts • N° 1206

Sur un coup de tête, Emma a décidé de quitter Londres et de partir dans un village perdu au fin fond de l'Ecosse pour occuper un poste de gouvernante pendant quelques semaines. C'est l'occasion, pense-t-elle, de changer d'air et, surtout, d'oublier ses soucis de santé. Mais, dès qu'elle pénètre dans l'imposant manoir du Dr Adam McAllister, elle comprend que c'est le destin qui l'a envoyée auprès de Poppy et Oliver, d'adorables jumeaux, et de leur père, dont le regard sombre la fait immédiatement frissonner…

UN PATIENT IMPOSSIBLE, de Scarlet Wilson

Samantha, infirmière spécialisée, est habituée à travailler durant les fêtes. Mais, cette année, à sa grande déception, l'agence d'intérim ne l'envoie pas au chevet de son petit patient habituel, mais auprès d'un nouveau malade, dans un chalet isolé des Alpes… Quelle n'est pas la surprise de Samantha quand elle apprend que celui-ci n'est autre que le beau et célèbre Mitchell Brody, l'homme qui faisait battre son cœur à l'adolescence ! Et, dès qu'elle pose les yeux sur lui, elle se rend compte que ses sourires ravageurs et son attitude provocatrice la troublent encore plus aujourd'hui qu'à l'époque…

AMOUREUSE DU PLAY-BOY, de Carol Marinelli • N° 1207

Trois ans. Cela fait trois ans qu'Hugh Linton est chirurgien dans le service où travaille Emily, et trois ans qu'elle lui cache soigneusement les sentiments qu'elle a éprouvés pour lui dès le premier regard, car elle refuse de n'être qu'une conquête de plus pour ce parfait play-boy. Mais tout bascule le jour où Hugh la met au défi de jouer, durant plusieurs mois, le rôle de sa petite amie…

LE MÉDECIN ITALIEN, de Carol Marinelli

Décidément, cette Louise Carter va le rendre fou ! C'est ce que pense Anton Rossi, obstétricien au Royal Hospital, chaque fois que la jeune sage-femme lui adresse la parole. Car, si le comportement de Louise est parfaitement professionnel en salle de travail, elle passe son temps, en dehors, à lui adresser des sourires et des propos particulièrement troublants. Mais si Anton est venu travailler à Londres, laissant en Italie sa famille et ses amis, ce n'est certainement pas pour se laisser distraire par une de ses nouvelles collègues…

UN INTERNE IRRÉSISTIBLE, d'Emily Forbes • N° 1208

Dévouée à ses patients, Scarlett n'a ni le temps ni l'envie de se consacrer à un homme. Aussi, lorsqu'elle fait la connaissance du troublant Jake, le barman du club où une de ses amies fête son enterrement de vie de jeune fille, elle ne cède au désir qu'il lui inspire que parce qu'elle est persuadée qu'elle ne le reverra jamais. Quelle n'est donc pas sa surprise, le lendemain matin, de croiser à nouveau le regard brûlant de Jake… dans son service à l'hôpital, où il effectue un stage d'internat de quatre semaines !

CET HOMME TROP SÉDUISANT, d'Emily Forbes

Lorsqu'elle apprend que sa petite sœur, gravement malade, vient d'être admise à l'hôpital, Ruby quitte précipitamment son poste d'infirmière à Byron Bay pour se rendre à son chevet. Rongée par l'inquiétude, elle ne prête d'abord pas attention au patient du box voisin, Noé Christiansen, un séduisant pilote de course qui se remet d'un léger accident. Mais, au fil des jours et de ses visites à l'hôpital, Ruby apprend à le connaître et se rend compte qu'il la trouble plus que de raison…

LA SEULE PASSION D'UNE INFIRMIÈRE, d'Abigail Gordon • N° 1209

Glenn Hamilton est de retour à Willowmere ! Aussitôt, les souvenirs assaillent à Andrea Bartlett : leur folle passion durant leurs études de médecine, leurs projets et rêves d'avenir en Afrique… jusqu'à ce tragique accident qui empêche à jamais Andrea de fonder une famille. Connaissant le désir d'enfant de Glenn, elle avait alors prétexté ne plus l'aimer, le laissant partir seul en Afrique. Aujourd'hui, cinq ans plus tard, ses sentiments pour lui sont toujours aussi intenses… et elle se prend à douter : a-t-elle eu raison de lui cacher la vérité ?

NOUVELLE CHANCE POUR UN MÉDECIN, d'Abigail Gordon

A Willowmere, le Dr Georgina Adams mène une vie tranquille, jusqu'au jour où son ex-mari, Ben, vient s'installer près de chez elle. Car, s'ils ne sont plus ensemble depuis près de trois ans, ils n'ont pu s'empêcher de passer la nuit ensemble quelques mois plus tôt, cédant à la passion qui les lie toujours. Une nuit qui, comme l'atteste le ventre rond de Georgina, n'a pas été sans conséquence. Comment Ben va-t-il réagir ? Et elle, est-elle prête à le voir revenir dans sa vie ?

Composé et édité par HARLEQUIN

Achevé d'imprimer en décembre 2014

La Flèche
Dépôt légal : janvier 2015

Pour l'éditeur, le principe est d'utiliser des papiers
composés de fibres naturelles, renouvelables, recyclables,
et fabriquées à partir de bois issus de forêts qui adoptent
un système d'aménagement durable. En outre, l'éditeur attend
de ses fournisseurs de papier qu'ils s'inscrivent dans
une démarche de certification environnementale reconnue.

Imprimé en France